BIBLIOTECA ÁUREA HISPÁNICA BÁH

Universidad de Navarra | Editorial Iberoamericana / Vervuert

Biblioteca Áurea Hispánica, 101

CERVANTES Y LOS LÍMITES DEL SER

FRANCISCO VIVAR

Universidad de Navarra • Iberoamericana •Vervuert • 2014

Reservados todos los derechos

© Iberoamericana, 2014
Amor de Dios, 1 – E-28014 Madrid
Tel.: +34 91 429 35 22 - Fax: +34 91 429 53 97

© Vervuert, 2014
Elisabethenstr. 3-9 – D-60594 Frankfurt am Main
Tel.: +49 69 597 46 17 - Fax: +49 69 597 87 43

info@iberoamericanalibros.com
www.ibero-americana.net

ISBN 978-84-8489-831-3 (Iberoamericana)
ISBN 978-3-95487-375-3 (Vervuert)

Depósito Legal: M-24215-2014

Cubierta: Carlos Zamora
Impreso en España

Este libro está impreso íntegramente en papel ecológico sin cloro.

Para mi buen amigo Enrique Rodríguez Cepeda.

ÍNDICE

«NO QUIERO SER QUIEN SOY»

> Soy un hombre que ha dado de sí todo lo que
> tenía que dar. Solo eso. Quizá un hombre de buen
> corazón y compasivo, quizás también de algunos
> conocimientos, pero que ha dado todo de sí.
>
> (Porfiri Petrovich)[1]

Ulises es el primer héroe moderno. Homero recuerda en su invocación a las Musas las numerosas ciudades y gentes que había conocido el héroe, pero inmediatamente señala los 'muchos males' que pasó. Ha sufrido diez años de guerra y diez años de vagabundeo. Ha conocido el mundo de la noche, el mundo de los monstruos, el rechazo, el ansia, la angustia, la humillación. Ha vivido en numerosos lugares. Se ha relacionado con los hombres y con los dioses. Ha experimentado la vida en su multiplicidad. Al comienzo de la *Odisea* encontramos a Ulises en una isla junto a la diosa Calipso, lleno de dolor por la añoranza de su casa y de su esposa. La diosa lo retiene, lo adula, quiere que permanezca con ella; pero él solo desea regresar a Ítaca. Calipso propone al héroe elegir entre la inmortalidad y la tierra natal. Ulises rechaza la inmortalidad, ansía la vuelta a casa con la esposa y con el hijo, quiere estar con su padre, anhela volver a Ítaca para iniciar un tiempo feliz. El héroe acepta la vida común, la realidad tal y como es, vivir junto a los demás seres humanos. Su viaje que ha durado veinte años, le ha aportado el conocimiento de la vida que le permite vivir alegre en su casa. Es el momento clave, recoge el sentido de la *Odisea*: la aceptación del límite, la armonía consigo mismo, el conocimiento de la naturaleza humana. La realidad se confirma en los dos cantos finales. Ulises es reconocido por Penélope cuando

---

[1] Dostoyevski, *Crimen y castigo*, p. 582.

recuerda con detalle «las señales de aquel lecho nuestro que nunca vio nadie»[2], explica la construcción de la cama nupcial que sale de las raíces de la tierra y que es el centro de la vida. Por otra parte, Laertes lo reconoce cuando Ulises recuerda el paseo por la huerta que dio con él siendo un niño y el padre le enseñaba el nombre de las plantas

> Pero voy además a contarte los árboles todos
> que me diste una vez de esta huerta florida. Yo aún niño,
> caminaba contigo por ella, te hacía mil preguntas,
> tú mostrabas las plantas y me ibas diciendo sus nombres[3].

De nuevo confirma el regreso a la casa, a su identidad. Es el reencuentro con el propio mundo, la confirmación de sí mismo, la celebración de los valores familiares y de la naturaleza[4].

El héroe Jasón en *El viaje de los Argonautas*, después de tantas aventuras superadas, se sentía cansado y deseaba volver para vivir en su casa. Cuando se despide de Hipsípila le confiesa: «Tú guarda algo mejor que yo en tu corazón, puesto que a mí me basta habitar mi patria con el permiso de Pelias. ¡Ojalá que los dioses me libraran al menos de estas empresas!»[5]. También él quiere vivir entre los hombres, recuperar su identidad primera, ser el que siempre fue. Ya ha conocido el mundo, ya ha vivido junto a muchos hombres, ya ha aprendido. Él, como sus compañeros de viaje, conoce muy bien los peligros que acechan, la proximidad de la muerte que esconde la aventura. Cuando contemplan las muertes del adivino Idmón y del Hagníada Tifis los héroes griegos «reconcomían su ánimo con las penas, puesto que tan lejos de su esperanza quedaba su regreso»[6].

Ulises y Jasón desean la armonía de la casa, prefieren el mundo real, quieren vivir con los hombres. La vida del héroe va acompañada de valor y del reconocimiento de los demás, pero también conlleva dolor y

---

[2] Homero, *Odisea*, p. 407.

[3] Homero, *Odisea*, p. 423.

[4] En *Historia de la noche*, el poema «Un escolio» de Jorge Luis Borges contiene estos versos: «Homero no ignoraba que las cosas deben decirse de / manera indirecta. / Tampoco lo ignoraban sus griegos, / cuyo lenguaje natural era el mito. La fábula del tálamo / que es un árbol es una suerte de metáfora», Borges, *Obras completas. III*, p. 176.

[5] Apolonio de Rodas, *El viaje de los Argonautas*, p. 76.

[6] Apolonio de Rodas, *El viaje de los Argonautas*, p. 119.

sufrimiento, alejamiento de la patria y de los familiares. Con el paso del tiempo y con el recorrido de múltiples aventuras, el héroe adquiere un conocimiento más profundo de sí mismo y de la vida, que le lleva a aceptar los límites de la realidad y del ser. En el momento de la vuelta a casa se produce la armonía consigo mismo y con todo lo que le rodea. Se afirma a sí mismo en su identidad, a la vez que se reencuentra con los suyos y con el mundo. Los dos héroes nos enseñan que la grandeza humana consiste en la aceptación de una suerte común, en la capacidad de ser como los demás, en la reconciliación con la realidad. Ulises se siente feliz en Ítaca, Jasón tiene la esperanza de vivir en su patria. Quieren dejar el espacio ilimitado de la aventura por el espacio concreto y conocido de la casa. Son ellos los que con su ejemplo nos descubren que los hombres vivimos mejor dentro de las fronteras de nuestra limitación, que alcanzamos una mayor tranquilidad de espíritu al aceptar los límites[7].

Michel de Montaigne ofrece los *Ensayos* como una pintura de sí mismo. Se fija en la propia actuación para que los demás podamos reflexionar sobre nuestra humanidad. Parte de la experiencia para hablar de las cosas, desde ahí va preguntándose por diferentes aspectos de la vida para mostrarnos cómo se vive. No le interesa la metafísica o el cómo deberíamos vivir, sino la realidad y el cómo vivimos, para aprender a vivir mejor, más acorde con nuestra naturaleza. Por eso nos muestra lo que hace en diferentes situaciones y lo que siente según está actuando. Así va componiendo su retrato en movimiento continuo. Lo que cuenta es la vida. Y los ensayos crecen y se transforman de acuerdo con la experiencia. No le es ajeno nada de lo que encuentra, todo lo acepta y a todo se transforma. Ama la vida tal y como es. Es verdad que al principio de los *Ensayos* Montaigne toca temas generales como la presencia de Dios o los problemas del universo, y que mezcla la historia del mundo con Roma o con los caníbales. Pero poco a poco se va concentrando en sí mismo, en su persona, en su experiencia. Así llegamos al último de los ensayos, «Sobre la experiencia», que constituye una síntesis de su vida y

---

[7] Recuerdo la respuesta de Aquiles a Ulises en el Hades, cuando muestra su desprecio a la opinión sobre la supuesta felicidad que gozó en la tierra y, también, a la que ahora disfruta por ser soberano de los muertos; mientras él siente un irresistible deseo de tener vida. «No pretendas, Ulises preclaro, buscarme consuelos / de la muerte, que yo más querría ser siervo en el campo / de cualquier labrador sin caudal y de corta despensa / que reinar sobre todos los muertos que allá fenecieron», Homero, *Odisea*, p. 212.

de su pensamiento. Tal vez el sentido de los *Ensayos* se concentra en las siguientes palabras:

> Es absoluta perfección y como divina, el saber gozar lealmente del propio ser. Buscamos otras cualidades por no saber usar de las nuestras, y nos salimos fuera de nosotros por no saber estar dentro. En vano nos encaramamos sobre zancos, pues aun con zancos hemos de andar con nuestras propias piernas. Y en trono más elevado del mundo seguimos estando sentados sobre nuestras posaderas[8].

La alegría reside en aceptarse, en amarse como somos. Por supuesto, siempre vamos a intentar superar nuestra propia naturaleza, elevarnos sobre la realidad para alcanzar metas más altas, poner alas a nuestra voluntad para encumbrarnos a lo máximo posible. Sin embargo, llega un momento donde la vida se ama como es, porque todos los excesos, todas las ilusiones superiores «requieren un límite y se cierran en un mundo moderado y atemperado». Un límite que no debe sobrepasarse, porque se vive dentro de unas barreras, aunque se intenten siempre superar. El ser humano quiere encontrar un destino elevado en la tierra, va a mantenerse con la ilusión de llegar a conseguirlo en el presente o en el futuro. Así oscila nuestra vida entre la ilusión de elevarnos y el peso de la realidad, entre lo que somos y lo que desearíamos ser. Esta voluntad de alzarse va a producir una interna vacilación, una tensión perturbadora, una discordia permanente, ya que el hombre se propone elevarse sobre su naturaleza: intenta traspasar sus propios límites. Ahora bien, el peligro existe. El hombre puede perderse en un horizonte carente de límites. Ahí situado no aprecia con la claridad debida el aquí y el ahora porque se confunde al poner la mirada en lo lejano y en lo futuro. El hombre olvida que la naturaleza humana es limitada, que la realidad está sujeta a unos límites. Debido a estos momentos de amnesia Michel de Montaigne insiste: «Con razón se le ponen al espíritu humano las barreras más estrictas que se puede. En el estudio, como en lo demás hay que contarle y ordenarle los pasos, hay que adjudicarle por medio del arte los límites de su caza»[9]. Este es el secreto del equilibrio, en esto consiste vivir con los demás. Si se traspasan los límites nos acercamos al peligro de la caída en el abismo, ya que todos los excesos pueden conducir a los extremos.

---

[8] Montaigne, *Ensayos. Vol. III*, p. 402.
[9] Montaigne, *Ensayos. Vol. III*, p. 412.

Dentro de los márgenes se configura mejor la personalidad. Existe un momento en nuestra vida en que aceptamos vivir conforme a nuestra naturaleza ajustándonos a unos términos.

El joven Johann Wolfgang von Goethe había sido un ardiente defensor del progreso, de la transformación social y de la violencia necesaria que exige el cambio de un sistema político a otro. En 1789 se produce la Revolución francesa. Los jóvenes románticos van a vivir con efervescencia este momento histórico que consideran el nacimiento de una nueva época. Estiman la Revolución como la base fundadora para una nueva sociedad donde los ideales se verían ya transplantados a la realidad. El entusiasmo era desbordante. Tenían la esperanza de que al cambiar las instituciones políticas, el hombre podría alcanzar lo mejor de sí mismo hasta llegar a ser el anhelado hombre libre. El maduro Goethe contempla con menos entusiasmo que los jóvenes poetas románticos el gran evento francés. Él se aleja rápidamente de los ideales revolucionarios horrorizado por el terror. Rechaza cualquier tipo de revolución, e incluso la idea de transformación social. Por supuesto, no siente nostalgia ni defiende el Antiguo Régimen; pero los acontecimientos súbitos le desagradan. Desconfía de los cambios violentos donde cree que las masas son seducidas por agitadores. La pasión política puede confundir al individuo en la percepción de la realidad, en la configuración de la propia personalidad; ya que se desfiguran los límites entre lo posible y lo realizable, los medios y el objetivo.

Goethe, creador junto a Schiller del clasicismo alemán, desarrolló en el pequeño estado de Weimar la utopía de una armonía entre la vida política, la cultural y el arte. Su propósito era encontrar una armonía entre el individuo y el todo. Con *Los años de aprendizaje de Wilhelm Meister* nos presenta un diagnóstico de la época e intenta responder a la pregunta más trascendental: ¿cómo se puede llegar a ser feliz en la tierra? La novela es la historia ejemplar de un personaje que acaba aceptándose como es, aunque para ello ha tenido que renunciar a sus ilusiones y a los elevados ideales. Wilhelm Meister en el itinerario de su vida «estaba ansioso de profundizar en el conocimiento de los hombres», y en el mundo «esperaba encontrar la clave de muchas cosas referentes a la vida, a sí mismo y al arte»[10]. Cuando completa su aprendizaje, acepta la renuncia porque ha crecido y madurado con la experiencia y el conocimiento del mundo. La clave es conocerse para lograr una existencia armoniosa.

---

[10] Goethe, *Wilhelm Meister*, p. 232.

Él vive la realidad de la mejor manera posible, pero acepta los límites. En el libro sexto de la novela, «Confesiones de un alma bella», aparece el personaje del tío, que según Schiller lo utilizó Goethe para representarse a sí mismo, y es el tío quien afirma que como hombres «hemos de perseguir toda la perfección que sea posible»[11], y para ello es importante conocer los límites. Y nos ofrece la siguiente explicación:

> Porque el hombre ha nacido para fines limitados y puede comprender con más facilidad lo sencillo, lo próximo y lo determinado en los fines y así se acostumbra a utilizar medios que están a su alcance. Sin embargo, cuando afronta lo amplio, no sabe ni lo que quiere ni lo que debe hacer. Entonces no importa si lo distrae la multitud de objetos, o lo hace estar fuera de sí la nobleza y la dignidad de los mismos. Siempre será para él una desgracia pretender la obtención de algo que no puede conseguir sin una activación continua de sí mismo[12].

Goethe aspira a que el individuo desarrolle la personalidad en todas sus posibilidades, que configure su identidad en el equilibrio, en armonía con la sociedad. Es un imperativo la reconciliación del hombre con la existencia, armonizar el individuo con la comunidad. Para obtener la armonía y el equilibrio tiene que vivir dentro de los límites. Si los traspasa confunde lo próximo y lo lejano, lleva una vida desdichada, escindida porque permanece separado de lo que le rodea. La personalidad individual se desarrolla plenamente dentro de la limitación, ahí puede alcanzar los fines. Ya lo dejó claro en el poema «Los límites de la humanidad» que termina con estos versos: «Un pequeño anillo / limita nuestra vida, / y muchas generaciones / continuamente se alinean / en la cadena infinita / de su existencia»[13]. Los límites conforman al hombre. De nuevo Goethe volvió a reiterar la necesidad de mantenerse sujeto a la tierra al final de la tragedia de *Fausto*. Después de comprobar su amplio conocimiento del mundo, el protagonista afirma su opinión sobre el hombre con estas palabras: «Que se detenga firme, y mire en torno: / no está mudo este mundo ante el que es digno»[14]. Es preciso confiar en el mundo, aspirar a lo más alto en la tierra. Es loco quien siempre mira

---

[11] Goethe, *Wilhelm Meister*, p. 482.
[12] Goethe, *Wilhelm Meister*, p. 484.
[13] Goethe, *La vida es buena. Cien poesías*, p. 152.
[14] Goethe, *Fausto*, p. 335.

al cielo, en el mundo siempre puede esperar algo quien se hace digno de él y sabe vivir.

Albert Camus comprendía la vida en términos humanos. Sabía que la grandeza del hombre está en sobreponerse a su condición. Veía que a lo largo de la historia el ser humano se ha sacrificado por alcanzar los más nobles fines. Repite con insistencia que no hay que tender a la perfección, sino al equilibrio y a la armonía. Fue testigo de la destrucción de Europa durante la Segunda Guerra Mundial, descubrió la desastrada cara que ocultaba la revolución rusa, vio la encarnación del mal absoluto en el Holocausto, vivió de cerca el nihilismo y el absurdo. Contra todo esto se rebeló. Supo decir no y se convirtió en rebelde. No es conformista ni se resigna a la opinión dominante o a la razón de Estado. Denuncia los horrores de los Gulags, se rebela contra la violencia revolucionaria y el mesianismo asesino, rechaza el terrorismo que mata a civiles inocentes. Muestra que no hay asesinos heroicos, que el horror de los campos o el terror no pueden justificarse por la construcción de un paraíso futuro. Como testigo moral de Europa y llevado por un profundo amor a la vida, Camus escribe *El hombre rebelde*. Analiza cómo el lenguaje teológico se ha puesto al servicio de la revolución. La búsqueda del absoluto se convierte en una justificación para matar u oprimir. La vida que se somete a la ideología se transforma en una vida abstracta. En las ideologías totalitarias los medios delictivos pervierten los más nobles fines, las rebeliones son traicionadas por la revolución. Después de la larga investigación sobre la rebeldía y el nihilismo, el autor francés presenta su propuesta de rebeldía. En el último capítulo, «El pensamiento de mediodía», nos ofrece una síntesis de lo que para él es el sentido de la existencia y el valor de vivir. El apartado «Mesura y desmesura» comienza con estas palabras: «El extravío revolucionario se explica primero por la ignorancia o el desconocimiento sistemático de ese límite que parece inseparable de la naturaleza humana y que descubre precisamente la rebeldía». Por lo tanto, si el pensamiento revolucionario quiere mantenerse vivo debe «inspirarse en el único pensamiento que sea fiel a sus orígenes, el pensamiento de los límites». Y concluye el párrafo con esta afirmación: «Al mismo tiempo que sugiere una naturaleza común a los hombres, la rebeldía descubre la medida y el límite que se hallan al principio de esta naturaleza»[15]. Ya conocemos la historia de la desmesura, si olvidamos el valor del límite llegaremos de nuevo al desorden y a la

---

[15] Camus, *El hombre rebelde*, pp. 341-342.

destrucción. La ideología parte del absoluto para moldear la realidad. Por el contrario, la rebeldía se apoya en lo real «para encaminarse en un combate perpetuo hacia la verdad»[16]. El valor del límite reconcilia al hombre con la vida, acomoda la conducta a lo que cree verdadero. En el límite encuentra un irreductible sentido y un valor continuo en el vivir.

La vida del ser humano se mueve entre dos mundos difíciles de armonizar: la circunstancia de lo real y la ilusión de lo soñado, entre las múltiples posibilidades de ser y los límites que configuran nuestro vivir. Es consciente de que existe un horizonte de posibilidades y quiere experimentarlas, saber hasta dónde puede llegar. El hombre es libre, puede elegir y fracasar en la decisión. Intenta crear el propio destino personal. Desea encontrar la manera de estar en el mundo, construir su destino. Percibe que es un ser inacabado a quien tiene que dar forma. El conocimiento y la voluntad libre irán moldeando la persona. El camino para llegar a ser se muestra sinuoso. El recorrido se presenta como una esperanza realizable; aunque parece que siempre falta algo para completarse. Ante un horizonte tan abierto el riesgo de la libertad es elegir bien o elegir equivocadamente[17].

En numerosas ocasiones uno no querría ser quien es o llevar la vida ocupada en un oficio. Se siente atado a esa existencia por la necesidad o por una falta de voluntad. Al individuo le resulta difícil dar el salto para librarse del peso de la circunstancia. Sin embargo, a veces no soporta la realidad tal y como es, no quiere seguir siendo quien es, no acepta la suerte que le ha tocado. Y esta incomodidad consigo mismo y su entorno la siente muy pronto en su vida. Este fuerte sentimiento lo explica Ortega y Gasset con las siguientes palabras:

> A poco que vivimos hemos palpado ya los confines de nuestra prisión. Treinta años cuando más tardamos en reconocer los límites dentro de los cuales van a moverse nuestras posibilidades. Tomamos posesión de lo real, que es como haber medido los metros de una cadena prendida de nuestros

---

[16] Camus, *El hombre rebelde*, p. 345.

[17] Rüdiger Safranski, 2010, abre su libro *El mal* con estas iluminadoras palabras: «No hace falta recurrir al diablo para entender el mal. El mal pertenece al drama de la libertad humana. Es el precio de la libertad. El hombre no se reduce al nivel de la naturaleza, es el 'animal no fijado', usando una expresión de Nietzsche. La conciencia hace que el hombre se precipite en el tiempo: en un pasado opresivo; en un presente huidizo; en un futuro que puede convertirse en bastidor amenazante y capaz de despertar la preocupación», p. 13.

pies. Entonces decimos: «¿Esto es la vida? ¿Nada más que esto? ¿Un ciclo confuso que se repite siempre idéntico?» He aquí una hora peligrosa para todo hombre[18].

Es un peso peligroso porque produce una enorme insatisfacción. El choque entre lo real y las posibilidades de la vida, entre la ilusión y la realidad, entre el ideal y la pesadumbre de lo contingente, nos puede conducir al extravío, al hastío o al hartazgo de la vida. «Todos los hombres tienen un cáncer que les roe, un excremento cotidiano, un mal a plazos, su insatisfacción; el punto de choque entre su ser real, esquelético y la infinita complejidad de la vida. Y todos, antes o después, se dan cuenta»; dice Cesare Pavese[19]. La vida es paradoja. Vivimos entre dos contradicciones. El problema es superar la insatisfacción, eliminar el cáncer. Se precisa voluntad para armonizar los contrastes y, así, dar un sentido pleno a la existencia. Para que el cáncer no se propague es urgente reconciliar lo real con lo posible. La vida conlleva una existencia trágica aunque esperanzadora, manifiesta una tensión y un deseo de equilibrio. La voluntad es la que decide lo que vamos a hacer o lo que vamos a ser. Si emprendemos los pasos para vivir nuestros objetivos, deseos, ilusiones o aventuras; o si, por el contrario, permanecemos atados a nuestra existencia insatisfecha[20].

De esta manera, cuando el hombre siente que necesita dar un impulso a su existencia, cuando no se conforma con los límites que le ha impuesto el destino, a su ayuda acude la imaginación que lo impulsa a superar la existencia cotidiana, a sobrepasar las fronteras impuestas por la sociedad, a elevarse por encima de los propios límites. Ahí la vida no está sometida a la rutina y se mantiene sostenida por la ilusión de las posibilidades. En la repetición de los días el hombre percibe que la vida tiene una dimensión más elevada. En una libertad de movimientos

---

[18] Ortega y Gasset, *Meditaciones del Quijote*, p. 122.

[19] Cesare Pavese, *El oficio de vivir*, p. 69.

[20] De nuevo Rüdiger Safranski, 2010, nos orienta en la explicación cuando afirma: «La historia del pecado original investiga la naturaleza del hombre y llega al resultado de que éste no está fijado a una naturaleza que actúe con necesidad. El hombre es libre, puede elegir y también puede elegirse equivocadamente. Crea su propio destino para sí mismo». Y es que el hombre posee conocimiento y voluntad libre «y por eso se le ha impuesto la tarea de encontrar su esencia y su destino. El hombre ha salido de las manos del creador, pero ha salido de allí inacabado en una sublime forma: ha de intervenir en sí mismo con sus manos creadoras», p. 31.

escasa siente que hay un lugar donde puede vivir con libertad plena. Ante el aprendizaje estrecho supone un conocimiento amplísimo. La imaginación nos representa la idea de las ilusiones posibles, la idea de los deseos que podemos alcanzar, la idea de distracciones más apasionadas, la idea de una vida plena no limitada a la necesidad de las circunstancias. La percepción de esta doble vida, la real y la imaginada, nos produce una tensión que es liberada con la acción. La voluntad decide actuar: sostiene la actuación en la representación de la idea. El sujeto decide vivir la idea en la realidad. Se olvida de su naturaleza, de su circunstancia, de su identidad y se lanza con alegría a recorrer el camino de las ilusiones posibles. La vida permanece intensificada en la ilusión de alcanzar el objetivo. Ahora, traspasado el umbral de la circunstancia, el sujeto sale con una idea que cree posible vivir en la realidad. Quiere derribar los muros de separación entre idea y realidad, entre ilusión y contingencia, para encontrar un equilibrio que le satisfaga, o para fusionar la una en la otra. La actividad queda impregnada por la ilusión. Con decidida voluntad se lanza al horizonte ilimitado. La realidad se convierte en una multiplicidad de posibilidades. La fuerza de la imaginación y la voluntad, poseídas por el fuego del deseo, olvidan las barreras de los límites y se lanzan a la vida sin el freno de las fronteras. Es verdad que el individuo carece de experiencia y conocimientos, y esta vida desconocida le puede llevar al abismo. Se lanza al camino sin tener en cuenta las dificultades, los peligros y los posibles extravíos. Sale a la aventura de la vida con un exceso de energías y con la alegría de realizar la ilusión, de encontrar ese lugar o esa idea que lo lleven a vivir plenamente[21].

Es la ignorancia de nuestra propia naturaleza limitada la que nos conduce al extravío. La elección libre conlleva el peligro de equivocarse, mantiene el riesgo que la vida elegida sea tan extrema que conduzca al

---

[21] Recuerda Goethe el deseo de los jóvenes de elevarse sobre la realidad con estas palabras: «Probablemente entre los intentos más excusables de atribuirse una dimensión más elevada, de equipararse a alguien superior, cuenta el afán juvenil de compararse con personajes novelescos. Se trata de un afán inocente en extremo y, por muchas invectivas que se le opongan, totalmente inofensivo. Nos entretiene en épocas en las que nos mata el aburrimiento o en las que tendríamos que recurrir a distracciones más apasionadas», en *Poesía y verdad*, p. 476. También Ernesto Sábato afirma: «La vida de todo ser humano oscila entre esta ilusión del ideal y la pesadumbre de lo fáctico, esa chatadura que llamamos realidad» (20); y añadía después que «la vida debe ser sostenida y fecundada en la ilusión», en *España en los diarios de mi vejez*, p. 22.

abismo. Como rechaza las fronteras acaba arrojándose a una vida desenfrenada que pone en peligro la existencia. Al superar el 'mundo moderado' entramos en el mundo desmesurado que es más perverso y puede llevar a la destrucción. La aventura se transforma en desventura. Una vez conocido y experimentado el mundo sin límites, el hombre regresa a los orígenes, al mundo de los límites. Para librarnos de la vida desmesurada, para seguir vivos disfrutando de una vida común, el hombre regresa a la casa, a su identidad primera, a la vida con los demás. El extravío ha permitido descubrir que la naturaleza humana está sujeta a un límite. Experimentada la desmesura, conocedor de los males y de los dolores del extravío, el hombre regresa alegre a un mundo limitado donde puede vivir porque es el suyo. Ha necesitado madurar para reconocer la realidad y su naturaleza limitada; pero con el aprendizaje el regreso a la vida en común es alegre.

Ulises sabe que más allá de los límites de la realidad, al otro lado de la Tierra, aparece la ciudad de la noche y de la muerte, lugar que los hombres no conocen. El hombre traspasa las barreras para acercarse al lugar de la noche. Apolo ponía límites a los hombres, sabía que eran pequeños, pero a veces se alzaban sobre la propia altura y el dios castigaba su *hybris*. «Conócete a ti mismo», «Nada en exceso»; les recordaba. Como el héroe griego el hombre regresa a Ítaca para compartir un destino común. Ha aprendido a vivir y a morir dentro de las fronteras de su limitación. Se siente en armonía con el mundo y con su vida individual. En Ítaca Ulises busca ser feliz «porque nada hay más dulce que el propio país y los padres»[22]. Cerca de los suyos y de las cosas comunes encuentra la esencia de la vida y se siente satisfecho de sí mismo. También Michel de Montaigne termina los *Ensayos* con palabras que reconocen la vida común, ajustada a nuestra naturaleza: «Las vidas más hermosas son, a mi parecer, aquellas que siguen el modelo común y humano, con orden, mas, sin prodigio ni extravagancia»[23]. Goethe lo expresa de esta manera a su amigo J. P. Eckermann: «El hombre puede buscar su destino mas elevado en la tierra o en el cielo, en el presente o en el futuro, pero precisamente por eso se verá interiormente sometido a una eterna vacilación y exteriormente a una influencia siempre perturbadora, hasta que de una vez por todas tome la decisión de declarar que lo justo y lo correcto es

---

[22] Homero, *Odisea*, p. 159.
[23] Montaigne, *Ensayos. Vol. III*, p. 402.

lo que sea conforme a su naturaleza»[24]. La satisfacción de disfrutar de los valores comunes nos ofrece la posibilidad de sentirnos en el mundo como en casa, de disfrutar del aquí y del ahora. Aceptar nuestra naturaleza significa alegrarnos con lo que somos. «La perfección es eso: el acuerdo con la propia condición, el reconocimiento y el respeto del hombre», señala Albert Camus[25]. Y páginas más adelante insiste que cuando llega ese momento se alcanza la alegría consigo mismo: «Siempre llega un momento en que los seres dejan de luchar y desgarrarse, y aceptan amarse por fin tal como son. Es el reino de los cielos»[26]. Para gozar de la vida es necesaria esta aceptación. El disfrute de las cosas pequeñas y cotidianas manifiesta la esencia de la vida. Compartir el destino común nos afirma como seres humanos. Vivir en Ítaca para alcanzar el máximo de nuestras posibilidades y acercarnos a la máxima grandeza. Ahora bien, necesitamos ilusión y realidad para vivir. Una vida sin ilusión conduce al empobrecimiento ya que no somos capaces de mirar más allá de lo que creemos posible. Como consecuencia limitamos nuestra aspiración a superarnos. En el otro lado, traspasar los límites nos puede conducir al dolor y a la tragedia, ya que sometemos la realidad a un ideal sin ningún tipo de barreras. Es por esto que me parece conveniente compartir la observación que nos da Goethe: «Todas las personas de buena voluntad, a medida que aumenta su formación cultural, sienten que tienen un doble papel que desempeñar en el mundo, un papel real y otro ideal, y en este sentimiento hay que buscar el fundamento de toda nobleza»[27]. O acercar nuestro comportamiento al verso de Píndaro que Albert Camus pone como epígrafe en *El mito de Sisifo*: «No te afanes, alma mía, por una vida inmortal, apura el recurso de lo hacedero»[28].

En *Historia de la noche* de Jorge Luis Borges nos encontramos con el poema «Ni siquiera soy polvo», puesto en boca de Alonso Quijano, que comienza con los siguientes versos: «No quiero ser quien soy. La avara suerte / Me ha deparado el siglo diecisiete, / El polvo y la rutina de Castilla, / Las cosas repetidas...»[29]. El poeta pone de relieve la estremecedora disconformidad del personaje con su destino. El hidalgo

---

[24] Eckermann, *Conversaciones con Goethe*, p. 476.
[25] Camus, *Carnets. Vol. I*, p. 173.
[26] Camus, *Carnets. Vol. II*, p. 368.
[27] Goethe, *Poesía y verdad*, p. 476.
[28] Camus, *El mito de Sísifo*, p. 8.
[29] Borges, *Obras completas. III*, p. 177.

manchego vive en un tiempo que no le pertenece, habita en un lugar desagradable y lleva una vida sometida a la constante rutina. El hidalgo se siente desarraigado del lugar y del tiempo en que vive. Alonso Quijano no encuentra aquel significado unitario de la existencia que dominaba al héroe épico. Quiere dar un sentido a su vida, para que exista una correspondencia entre los deseos y la acción, entre el interior y el exterior, entre el ideal y la vida. Como no posee voluntad para guiar la acción, el sentimiento de desarraigo y de existencia repetida le mueve a la lectura de los libros de caballerías. A pesar de que en la lectura se mete en un mundo de aventuras, algo falta en la vida. La suerte le depara poca variedad de actuación, no puede dejarse morir en la silla y en la rutina. El hidalgo decide no ser más Alonso Quijano para convertirse en don Quijote de la Mancha. Como no quiere ser quien es, con su nueva identidad es el que no es, alguien irreductiblemente distinto. Es la nostalgia de la épica, el regreso al pasado, el deseo de vivir la aventura, la salida al espacio sin límites, la búsqueda de otras posibilidades de ser. Es el recuerdo de un héroe épico que gozaba de unidad, que era un todo indivisible de cuerpo y espíritu. Era un tiempo en que la realidad se presentaba como una totalidad. Alonso Quijano se siente desarraigado y quiere lograr la unidad perdida al transformarse en caballero andante. En la existencia del hidalgo manchego pervive el anhelo de una vida superior capaz de elevarse sobre la vulgaridad y la rutina que arrastra cada día. La lectura rememora el recuerdo y la locura induce a tomar la decisión de ser un caballero andante.

En el poemario *El otro, el mismo* Jorge Luis Borges presenta el soneto «Un soldado de Urbina» para referirse a Miguel de Cervantes con estos versos

> Sospechándose indigno de otra hazaña
> Como aquella en el mar, este soldado,
> A sórdidos oficios resignado,
> Erraba oscuro por su dura España.
> Para borrar o mitigar la saña
> De lo real, buscaba lo soñado...
> Por él ya andaban don Quijote y Sancho[30].

El soldado que ha luchado en la batalla de Lepanto, que ha saboreado la sensación enervante de la hazaña, que ha vivido en la guerra alejado

[30] Borges, *Obras completas. II*, p. 256.

de las contingencias de la rutina diaria, vive ahora en España resignado
a la necesidad de tener un oficio. Habita, como Alonso Quijano, en un
lugar desagradable, tragándose el polvo de la envidia y del odio en una
sociedad intolerante. La 'avara suerte' y la necesidad configuran su vivir
inmediato. Sin embargo, atrapado en esa circunstancia adversa y cruel,
llegado a una edad que no le permite la oportunidad de tener otra aventura, aquel soldado decide transformarse en escritor. Como don Quijote,
Cervantes adquiere una nueva identidad para ser el que no es. El autor
goza de la posibilidad de retirarse dentro de sí mismo para convertirse en
todos los seres posibles. El escritor vive siempre en la ilusión de ser otro.
En la soledad se siente seguro, frente a la página en blanco puede alcanzar
otra *hazaña*. Cervantes tiene el escape de la escritura para sentir la vida en
su plenitud. Es su necesidad. La escritura da sentido completo a la vida.
Aprisionado en la realidad, se libera en el sueño de la ficción. El escritor
podría ser lo que cuenta, vivir lo que escribe. El individuo Cervantes
siente que su personalidad no se corresponde con la España en que vive.
Es difícil llevar una verdadera vida cuando tienes que estar sometido a las
necesidades diarias. El recaudador de impuestos en las tierras andaluzas
echa en falta al guerrero de Lepanto. Si Alonso Quijano es el que no es,
Cervantes también adquiere una nueva identidad para convertir su vida
en la de don Quijote y Sancho. Los personajes son un desdoblamiento
de su propia personalidad. La vida de Cervantes oscila entre la 'saña de
la realidad' y la búsqueda de lo soñado. Con estas palabras tan precisas
nos explica de nuevo Jorge Luis Borges la personalidad de nuestro autor:
«El hecho es que en Cervantes, como en Jekyll, hubo por lo menos dos
hombres: el duro veterano, ligeramente *miles gloriosus*, lector y gustador
de sueños quiméricos, y el hombre comprensivo, indulgente, irónico y
sin hiel, que Groussac, que no lo quería pudo equiparar a Montaigne»[31].
Juntos el soñador y el hombre comprensivo: idéntica discordia encontra-
remos en numerosos personajes cervantinos. La escisión puede superarse.
El pobre hidalgo manchego y Cervantes demandan vitalidad a sus acciones frente a una existencia que se difumina en la rutina cotidiana. La vida
se presenta con la ilusión de una posibilidad a la que le falta realización.
Alonso Quijano convierte en vida la experiencia de la lectura y se transforma en caballero andante, Cervantes suplanta la experiencia de la vida

---

[31] Borges, *Obras completas. IV*, p. 45.

por la escritura y se transforma viviendo en sus personajes. La lectura y la escritura convierten la vida en aventura[32].

Cervantes proyecta en sus textos una confianza irreductible en la dignidad del ser humano, una mirada comprensiva a los defectos y una fe indestructible en las verdades que encierra el corazón. La fe, la confianza y la comprensión hacia el hombre del escritor español traen a la memoria las palabras de William Faulkner sobre el papel del escritor en la sociedad que creemos muy pertinentes para los tiempos de ahora. En su discurso de aceptación del Nobel afirma que el deber del escritor consiste en «aligerar el corazón del hombre para ayudarlo a resistir, al recordarle el valor y el honor, el orgullo y la esperanza, la compasión, la caridad y el sacrificio que han sido la gloria de su pasado»[33]. Cervantes nos lo recuerda constantemente. Y lo consigue porque otorga a sus personajes el don de la libertad. Los personajes son conscientes de que la realidad ofrece múltiples posibilidades. Esta conciencia se convierte en un anhelo de alcanzar lo máximo posible. La lectura transforma a Alonso Quijano en un ser distinto. También a otros personajes que se contagian con los libros que han leído y desean imitar a los héroes en sus aventuras. Quieren equipararse a héroes novelescos para llevar una vida más elevada, más aventurera. Para unos será una ilusión, para otros se convertirá en acción. Palomeque siente la ilusión de la aventura, pero continúa con su oficio de ventero. El hidalgo manchego imita a los caballeros andantes para vivir el ideal. Como no quiere ser quien es, configura su carácter en la imitación y, desde ahí construye un nuevo destino personal[34].

---

[32] En el poema «Sueña Alonso Quijano» de nuevo Borges afirma: «El hidalgo fue un sueño de Cervantes. / Y don Quijote un sueño del hidalgo. / El doble sueño los confunde y algo / está pasando que pasó mucho antes. / Quijano duerme y sueña. Una batalla: / los mares de Lepanto y la metralla», *Obras completas. III*, p. 94.

[33] Faulkner, «Discurso», p. 67. La impresión que nos deja la lectura de Cervantes es semejante a la que le produce la obra de William Shakespeare a Wilhelm Meister: «Parecen la obra de un genio celestial que se aproxima a los hombres para que ellos aprendan a conocerse del modo más dulce posible. Uno no encuentra ahí obras literarias. Uno ve abierto ante sí el libro inmenso del destino, en el que el huracán de la vida arrecia y hace pasar una página tras otra», Goethe, *Wilhelm Meister*, p. 268.

[34] Como explica Juan Goytisolo: «Ningún creador como Cervantes supo captar este poder inmanente de la literatura, capaz de transformar a los personajes del *Quijote* en seres distintos, contagiados por las novelas que leen hasta el punto de querer emular a sus héroes y lanzarse a aventuras por descabelladas que fueran. Cervantes secularizó sin saberlo el poder suasorio del discurso religioso, de la palabra

Los personajes cervantinos que vamos a presentar en este trabajo no buscan imitar a los héroes que han conocido en la lectura de libros. Sin embargo, ellos tampoco quieren ser quienes son. Desean un cambio para saber hasta dónde pueden llegar a ser. También se sienten desarraigados de su familia, del lugar, de la sociedad. Perciben dentro de sí la escisión entre el mundo real en el que viven y la realidad posible que imaginan, entre lo que son y lo que podrían ser. Esta tensión conduce a los personajes a elegir un camino arriesgado: desean traspasar los límites. Nada les detiene en el camino. Saltan las barreras como si no existiera límite alguno. El peligro de extraviarse los amenaza. Los personajes afirman su libertad para construir el propio destino. Todos ellos viven dentro de la realidad, sometidos a la necesidad que impone la circunstancia y sometidos al destino de su situación social. Ahora bien, llega un tiempo en sus vidas en que la existencia les resulta incompleta, y la voluntad cambia hacia otro tipo de vida. Tienen que modelar su persona con las propias manos. Se liberan de la telaraña donde se mueven con dificultad, saltan las barreras que los constriñen, cruzan las fronteras que los limitan para entrar en un horizonte de posibilidades. Disfrutan de libertad para configurar la personalidad y encontrar el propio destino. Como tienen la sensación de escisión entre el yo y la vida, como se sienten desarraigados de la familia y del entorno; están poseídos de la ilusión de encontrar ese algo que les falta. Desean completar el yo con lo que creen que pueden alcanzar. Aunque nunca lo han experimentado, creen que pueden encontrarlo y vivirlo. El horizonte de posibilidades es múltiple, en este espacio quieren encontrar la plenitud que dé un sentido completo a la vida. En su voluntad libre domina un espíritu de aventura que le impone la tarea de encontrar su esencia y su destino.

Rinconete y Cortadillo abandonan la dura constricción del pueblo para vivir en completa libertad en Sevilla. Carriazo se siente oprimido por el destino social de su familia y se marcha a las almadrabas para vivir la aventura. Tomás Rodaja aspira alcanzar el máximo conocimiento, quiere saberlo todo. Pedro de Urdemalas vive en una continua metamorfosis, versátil y múltiple adopta todas las formas. El joven caballero Rodolfo lleva en la sangre la fuerza implacable que no obedece más que a la ley insaciable del deseo. La realidad es dominada por la imaginación

revelada a los profetas, transmutando la literatura en una especie de religión laica, de creación puramente humana, aunque dotada de una transcendencia próxima a la de aquella», en *El bosque de las letras*, p. 213.

que dirige los actos del celoso extremeño. Carrizales configura la realidad según la imagen proyectada por los celos. Los Duques se contagian de la locura de don Quijote para sustituir la realidad por el mundo imaginario de la ficción. En la voluntad de estos personajes se manifiesta el riesgo de la libertad. Todos ellos se olvidan de los límites humanos y actúan como si no existiera barrera alguna. Ellos tienen que aprender para saber que la necesidad también es parte de la vida.

El personaje comienza la propia odisea. Tiene que recorrer un camino lleno de dificultades, desconocido para él. El viaje le ofrece la ocasión de tener una experiencia de la realidad para ir configurando la personalidad y el destino. Al comienzo del viaje tiene como equipaje la representación de una idea que quiere realizar: la libertad, el conocimiento, la metamorfosis, el deseo, la imaginación. Ellos quieren llegar al máximo de las posibilidades. Quieren experimentar por sí mismos. Por su voluntad y por su espíritu aventurero la posibilidad va aumentando. No tienen conciencia del límite humano y desean vivir la posibilidad hasta el fin. Sin embargo, la ignorancia de los límites los lleva al extravío. Al traspasar las barreras han elegido equivocadamente. Rincón y Cortado experimentan la degradación de la libertad en la cofradía de Monipodio, Carriazo siente el dolor de la aventura en las calles de Toledo. Rodolfo usa el poder del deseo para violar a Leonora. La soberbia de Tomás Rodaja conduce a la locura del Licenciado Vidriera. El viejo celoso acepta la culpa.

El personaje ha aprendido, ha madurado. Cuando experimenta el extravío y es consciente del dolor que ha provocado en sí mismo y en los demás, el personaje inicia un camino de vuelta a casa. Regresa libremente a sí mismo y la casa tiene un significado diferente. Ahora sabe que la naturaleza humana necesita el límite, que las cosas y los hombres tienen una medida. El joven se conoce mejor, el hombre maduro conoce los defectos. Han experimentado las limitaciones, han conocido la sociedad y pueden llevar una vida en común. La personalidad escindida de la salida, se reunifica en el regreso. Existe una armonía entre la vida individual y social.

El personaje se dirige al extremo, pero la vida exige equilibrio. Es verdad que es necesaria la ilusión de la aventura, de alcanzar lo máximo; pero también se necesitan límites. Cervantes a través de Rinconete o de Pedro de Urdemalas manifiesta la tensión que vive el ser humano entre la ilusión de lo que podríamos llegar a ser, viviendo en una libertad que no acepta los límites, y lo que somos realmente, viviendo mejor dentro de nuestras limitaciones. El destino final del personaje nos enseña a aceptar la realidad como es, igual que aceptamos al ser humano como es. Es la alegría que transmite Cervantes en la escritura: la confianza en la vida y en las posibilidades del hombre. Con palabras de Elias Canetti podemos afirmar:

> Yo admiro su amplitud *espacial*; su destino que tanto se ensañó en él, le dio amplitud, en vez de reducirlo. También me agrada que se diera a conocer tan tarde y, a pesar de ello —o precisamente por ello—, nunca perdiese la esperanza. Pese a las muchas falsificaciones de la vida que se permite en sus historias 'idealizantes', ama la vida tal cual es. Este es para mí, el único rasgo distintivo de un talento épico: un conocimiento de la vida que llegue hasta sus aspectos más monstruosos y, no obstante, un amor apasionado por ella, un amor que ni siquiera es desesperado, pues pese a toda su desesperación es intangible[35].

Es la clave para leer los textos cervantinos: su amor a la vida y la comprensión del destino común[36].

---

[35] Canetti, *Apuntes*, p. 765.

[36] Claudio Magris, al hablar de los grandes autores cómicos y humoristas, destaca por encima de todos a Cervantes y Sterne «cuya risa, cuya sonrisa y cuya ironía nacen del desencanto y de la conciencia de la tragedia y llegan, a través y gracias a la desilusión, a la fraternidad y al amor», en *Alfabetos*, p. 12.

CAPÍTULO 1

LA INOCENCIA ÉPICA

> En la inmensidad de la estepa, bañadas por el sol,
> se vislumbraban como puntos negros las tiendas
> de los nómadas. Allí estaba la libertad, allí vivían
> otras gentes totalmente distintas de las de este
> lado, allí el tiempo mismo parecía haberse dete-
> nido, como si la edad de Abraham y sus rebaños
> fuera aún el presente[1].

En Homero la palabra 'héroe' se daba a todo hombre libre que par-
ticipaba en la guerra de Troya, de él se podía contar una historia. El
héroe cervantino posee la voluntad de actuar, de insertar el yo propio
en el mundo para construir la historia personal. Se va haciendo a sí
mismo por la fuerza de la voluntad. En las *Novelas ejemplares* nos vamos
a encontrar con los hijos de personajes nobles, como Carriazo, o con
vástagos de padres más humildes, como Rincón y Cortado, que deciden
escapar de la casa por un tiempo para disfrutar la vida con intensidad.
Estos jóvenes abandonan la ciudad o el pueblo donde viven para aden-
trarse en la aventura y para encontrar una mayor libertad. No se ajustan
a la autoridad de los padres, o no soportan la presión impuesta por
la circunstancia social. Cuando llegan a una edad juvenil traspasan el
umbral para salir a un horizonte abierto a todas las posibilidades. En el
momento en que los vemos cruzar las murallas de su localidad percibimos en la precipitación que tienen miedo a perder el tiempo viviendo
en un espacio limitado, dedicándose a asuntos superfluos impuestos por
otros y ajustándose a un comportamiento que se les exige. Quieren
experimentar la vida como un destino propio. Llenan el espíritu con
la exuberante libertad de la juventud. Rincón, Carriazo y Cortado son

[1] Dostoyevski, *Crimen y castigo*, p. 692.

jóvenes y, por lo tanto, tienen valor para abandonar lo esperado y lo cómodo. Y es dentro de este contexto que debo recordar las palabras de Hannah Arendt sobre el significado de tan importante cualidad humana:

> Valor es una palabra grande y no me refiero al que desea la aventura y que con gusto arriesga la vida para poder sentirse vivo de ese modo tan total e intenso que solo se puede experimentar ante el peligro y la muerte. Se necesita incluso valor para abandonar la seguridad protectora de nuestras cuatro paredes. [...] El valor libera a los hombres de su preocupación por la vida y la remplaza por la de la libertad del mundo[2].

El valor es indispensable para la aventura. Permite olvidar los peligros que pueden estar esperando, y mueve a entrar en un horizonte de libertad donde la preocupación por la vida pierde validez. El valor domina el espíritu de los jóvenes. Ellos escapan de la seguridad protectora, sin tener en cuenta los desafíos que tendrán que enfrentar. Cambian la seguridad por lo inesperado, remplazan el lugar en el que viven por el mundo sin límites. Quieren sentir la libertad total de la aventura, la posibilidad de disfrutar de una libertad plena[3].

Los personajes se sienten dentro de un engranaje social o familiar que les impide desarrollarse plenamente. Intentan encontrar una senda en la maraña de la existencia que los lleve a vivir según la propia voluntad. Cortado se siente desarraigado del padre y del lugar. Carriazo experimenta el desgarro hacia la familia. Rincón es castigado por ladrón con el destierro. Los jóvenes buscan en la aventura la coherencia y la unidad que no encuentran en la casa. Ellos nos muestran que la aventura es un camino

---

[2] Arendt, 2003, pp. 246-247.

[3] Como muy bien afirma Milan Kundera: «Y está la aventura: antaño esta palabra expresaba la exaltación de la vida concebida como libertad, una valiente decisión individual desataba una sorprendente cadena de acciones, todas libres y deliberadas», en *El telón*, p. 166. Rafael Argullol, 2008, señala que uno de los aspectos fundamentales de la condición humana es vivir a la ventura y explica así el doble sentido semántico de esta expresión: «la importancia tanto de vivir *a la ventura* en el sentido de vivir en el azar y con la conciencia del azar; como la dimensión de la *aventura* en cuanto exploración y en cuanto contraste entre existencia y experiencia», p. 14. Luis Rosales iniciaba el capítulo tercero, con el título "La libertad de los aventureros", con estas palabras: «No intentaremos describir ni presentar a los *aventureros cervantinos*: son demasiado numerosos. Forman un censo variado y nutrido. [...] Los pícaros, los peregrinos, los caballeros andantes, los bandidos y los galeotes son, ante todo y sobre todo, aventureros», *Cervantes y la libertad*, vol. I, p. 323.

iniciático que debe ser recorrido por los jóvenes, se convierte en un ritual de paso que sirve para hacerse adulto. La aventura otorga la capacidad de experimentarse a sí mismo para ir acercándose a la propia configuración personal. Es ahí donde el joven puede convertirse en actor de la historia de su vida. Las acciones, libres y deliberadas, son actos de afirmación. Los jóvenes son conscientes de su procedencia, de la marca impuesta por la familia y por el entorno. Pero ellos quieren hacer algo de sí mismos, quieren vivir en libertad[4].

Ahora bien, nuestros tres personajes son todavía muy jóvenes, entre los trece y los quince años, es seguro que no pasaban de los diecisiete. Esta salida de la casa hacia un mundo libre es la primera experiencia. Rincón, Cortado y Carriazo representan la inocencia épica. Abandonan por un tiempo limitado los propios orígenes, llevados por la nostalgia de una ilusión de aventura, atraídos por una idea de la libertad. La potencialidad de otra vida empuja a los personajes a salir: encarnan el principio de voluntad. Se mueven a un lugar donde parece que existe la posibilidad de vivir la aventura, como las almadrabas; o la posibilidad de ser libres, como la gran ciudad de Sevilla. Pero son las almadrabas y Sevilla tal y como aparecían ante los ojos estupefactos de unos jóvenes. Desafían la circunstancia, van más allá de los límites impuestos por su destino. Se introducen en el azar, en lo desconocido, en un mundo nuevo. Como son jóvenes tienen la necesidad de aprender, de crecer, de

---

[4] Hannah Arendt, 2003, termina su texto «¿Qué es la libertad?» asegurándonos que en el campo de los asuntos humanos siempre conocemos al autor de 'los milagros', «los hombres son los que los realizan, hombres que, por haber recibido el doble don de la libertad y de la acción, pueden configurar una realidad propia» (p. 268). Unas páginas antes explica que el interés de los filósofos por el problema de la libertad se produce «cuando la libertad, en lugar de experimentarse en el hacer y en la asociación con los demás, pasó a experimentarse en la voluntad y en la relación con el propio yo», p. 257. Luis Rosales, 1960, al explicar la libertad en la vida personal afirma: «La vida personal nos hace libres, pero entiéndase bien que nuestra vida es la que es libre. Yo no soy libre respecto a ella; *yo no soy libre sino en mi vida*. La libertad *originaliza* la existencia humana y obliga al hombre a inventarse a sí mismo. El hecho de ser libres nos hace responsables. La responsabilidad es la corona de la libertad», vol. I, p. 52. Moviéndome a Cervantes, estoy muy de acuerdo con la conclusión de Stanislav Zimic, 1996, que afirma: «No cabe duda, sin embargo, que en todas las obras cervantinas se dignifica solo el acto o la vida que es reflejo directo de la aspiración y del esfuerzo del Individuo, del Hombre, Hijo de la Naturaleza, benévola y perversa a la vez. Consiste en esto, creemos, la fundamental filosofía existencial de Cervantes», p. 280.

madurar. El objetivo es conocer las posibilidades de la vida. El viaje a estos espacios significa separación, que es siempre necesaria para crecer solos. Antes de llegar allí, intuyen-imaginan-que hay algo más allá de la sociedad organizada, un lugar donde existen otras leyes que no limitan la libertad. Llenos de valor se dirigen hacia un lugar en el que nunca han estado y quieren disfrutar la libertad que nunca han tenido. Ambicionan vivir en plenitud, dar sentido a la existencia. Buscan la armonía entre la actuación y la voluntad, desean una correspondencia entre acción y sentimiento, anhelan un equilibrio entre la realidad y el deseo. En definitiva, quieren encontrar el significado unitario de la existencia que tenía el personaje de la épica. La posibilidad de sentir la vida y el mundo como su propia casa. Acompañados de la inocencia y llevados por la nostalgia buscan la libertad y la aventura que había gozado el héroe épico[5].

Sin embargo, la épica pertenece a otro tiempo. Se encuentra en el pasado. En aquel entonces existía una total unidad entre el individuo y el espacio, una integración completa entre el héroe y la circunstancia. Para Cervantes ese tiempo épico está muy lejano. La totalidad que disfrutaba el héroe se ha perdido en 1600[6]. El personaje moderno ya no encuentra el sentido unitario de la existencia. En Cervantes solo queda el recuerdo de la épica, la nostalgia de los héroes. Él no se olvida de que

---

[5] Aquí me permito introducir estas palabras de Ernesto Sábato sobre el significado de la nostalgia para los seres humanos: «La nostalgia es una añoranza, una memoria de los sentimientos inarrancables, que existe en toda vida. No se la puede explicar pero se la siente como la memoria de una armonía que nos fuese nuestra más auténtica manera de existir. Como nunca la vivimos tendemos a ponerla en la infancia, quizá para darle un sosiego», en *España en los diarios de mi vejez*, p. 179.

[6] Como muy bien sintetiza Claudio Magris, el narrador de la épica nos cuenta una experiencia colectiva, es la voz que expresa el fluir de la vida con un significado unitario, es una voz impersonal y coral que habla a todos. Sin embargo, esta épica «pertenece al pasado, es una totalidad perdida de la que el individuo se siente desarraigado; de esta soledad del hombre, de este aislamiento suyo es de donde nace la novela moderna, don Quijote entre molinos de viento más que entre míticos gigantes», en *Alfabetos*, p. 310. Por otra parte, la crisis del heroísmo está muy bien expresada por Roque Guinard cuando describe su vida a don Quijote: «Nueva manera de vida le debe de parecer al señor don Quijote la nuestra, nuevas aventuras, nuevos sucesos, y todos peligrosos [...]. A mí me han puesto en él no sé qué deseos de venganza, que tienen fuerza de turbar los más sosegados corazones. Yo de mi natural soy compasivo y bienintencionado» (II; 6, 1125). La emergencia de la primera Edad Moderna viene acompañada de una crisis del heroísmo que se corresponde con un sentimiento de la vida como hecho moral. Puede verse en mi libro, 2009, en el capítulo sobre Roque Guinard, pp. 103-120.

esa totalidad ya no existe. Ahora nos presenta una totalidad fragmentada, unos personajes heridos por el desarraigo. Los jóvenes se sienten 'desgarrados' de la familia, del lugar y del tiempo en que viven. En Rincón, Cortado y Carriazo se produce una escisión. Tienen la nostalgia de que pueden encontrar un lugar, más allá de los límites que ellos habitan, donde sea posible vivir la libertad y disfrutar la aventura, donde sientan la vida en su totalidad. El joven necesita salir de la casa para experimentar la vida. Pero, también, para conocer las fronteras de sus limitaciones. El personaje cervantino, con el paso del tiempo y la experiencia acumulada, descubrirá el carácter problemático y paradójico de la libertad y de la aventura. Al joven le falta conocimiento de sí mismo y de la realidad. Trata de conocerse y saber hasta dónde puede llegar a ser[7].

El sentimiento de desarraigo es la causa que induce a Cortado a huir de la casa. En un principio representa la esencia de su individualidad. Él lo siente como una experiencia dolorosa de la que tiene que sanar. Con estas palabras contundentes el joven explica a su nuevo amigo Ricón las razones de la salida: «mi tierra no es mía, pues no tengo en ella más que un padre que no me tiene por hijo y una madrastra que me trata como alnado; el camino que llevo es a la ventura»[8]. Cortado no puede sentirse en casa porque no tiene el amor del padre y la madrastra le trata como hijo ajeno. En sus palabras se percibe claramente la escisión que existe entre él y la familia, entre el individuo y el lugar. Se ha convertido en un extranjero para los suyos y, quizás, en un extraño para él mismo. Además de carecer del amor familiar, el pueblo donde vive le resulta estrecho: «Enfadóme la vida estrecha del aldea y el desamorado

---

[7] Es pertinente señalar la relación que mantienen estos personajes con la realidad de su tiempo. Como muy bien observa José Antonio Maravall, 1987, la desvinculación y abandono del medio familiar podemos verlo tanto en obras literarias como en otras fuentes que recogen este hecho social, lo que permite constatarlo en la realidad. Así, por ejemplo, «las referencias del jesuita Pedro de León, relativas a casos de muchachos que abandonan la casa paterna, en donde disfrutan de holgado nivel económico y en ocasiones de distinguido rango social, para entregarse a la vida de pícaros.[...]. Cervantes se hizo eco, contemporáneamente, de estos casos y dio a sus protagonistas el nombre con que seguramente se definían a sí mismos: 'desgarrados'», p. 283. También Alexander Parker, 1971, apunta: «Probablemente, Cervantes puede haber recordado un tema de actualidad. De todas formas, parece cierto que la atracción de la libertad y de una existencia sin frenos y anárquica podía, a veces, más en la vida real que las comodidades de una existencia doméstica reposada», p. 51.

[8] Cervantes, *Novelas ejemplares*, p. 164.

trato de mi madrastra»[9] —insiste de nuevo—. El joven tiene que salir porque en el desamor y en la opresión no puede sentirse en casa. Estos sentimientos de soledad y estrechez le ayudan a reconocer los límites dentro de los que se mueve. El pueblo le constreñía hasta sentirlo como una cárcel. Por un acto de voluntad el personaje abandona la casa para salir a 'la ventura', a ese espacio indefinido del azar, a la multiplicidad de lo posible. La sensación de desarraigo señala el momento preciso en que el personaje toma conciencia de sí mismo[10]. El mundo que descubre en la casa y en el pueblo limita al individuo. El joven rompe con ellos para experimentar otra vida. El vivir 'a la ventura' es una afirmación de la libertad como aspecto fundamental de la condición humana. El joven tiene que seguir un camino. En el recorrido buscará unas personas que lo reconozcan y un lugar al que se sienta unido. Al cambiar de vida, al dejar de ser quien se era para ser otro, el personaje asume la posibilidad de introducirse en una libertad que se sitúa más allá de las exigencias de las circunstancias o de las restricciones marcadas por la sociedad y la familia. Liberado del peso familiar y despegado del lugar, Cortado se dispone a vivir una libertad amplia. La experiencia dolorosa del desarraigo se convierte en una acción creativa porque el joven tiene el deseo de alcanzar una existencia libre[11].

[9] Cervantes, *Novelas ejemplares*, p. 167.

[10] En la presentación de Cortado se manifiesta con claridad el desajuste entre el yo y el mundo que era una de las ideas fundamentales de la *Teoría de la novela* de Georg Lukács. En este célebre ensayo, la novela es el género del desencanto. El héroe se caracteriza por «el extrañamiento del mundo» y el tema de la novela es «la historia del alma que de allí parte para conocerse, que busca la aventura para ser probado por ella», p. 234. El ejemplo más importante del fracaso de la aventura para Lukács es *El Quijote*. Por otra parte, Milan Kundera cuando distingue los héroes de la epopeya de los de la novela señala: «Los héroes de epopeya vencen o, si son vencidos, conservan hasta el último suspiro su grandeza. Don Quijote ha sido vencido. Y sin grandeza alguna. Porque de golpe, todo queda claro: la vida humana como tal es una derrota. Lo único que nos queda ante esta irremediable derrota que llamamos vida es intentar comprenderla. Ésta es la *razón de ser* del arte de la novela», en *El telón*, p. 21.

[11] Como afirma Henry Sieber «con *Rinconete y Cortadillo*, Cervantes sigue explorando los temas del robo y de la libertad, de la apropiación de otros y de sus bienes. [...]. Esta huida es como una salida a la libertad que les ofrecerá más amplia oportunidad para vivir. Pero encontrarán un mundo estrecho, fijo y controlado», en *Vol. II*, pp. 25-26. Al estudiar el tema de la cautividad en la obra de Cervantes, Francisco Márquez Villanueva, 2010, afirmaba que el propósito era usarlo como un reactivo para acceder al triunfo de la libertad. Y concluía: «Cervantes no es el poeta de lo carcelario, sino de la vida afirmada en el más completo albedrío de sus personajes,

La vida de Rincón es menos problemática que la de su amigo. Ayuda al padre a vender bulas y se aficiona «más al dinero de las bulas que a las mismas bulas»[12]. Esta inclinación al dinero le lleva al robo. Él se ve obligado a salir de la casa de los padres porque es castigado con el destierro al ser arrestado por el hurto de una bolsa. Forzado por las circunstancias y empujado por su afición está dispuesto a ganarse la vida con los naipes, de cuyos juegos ha aprendido tanto que él mismo considera que «puedo yo ser maestro en la ciencia villanesca»[13]. Rincón tiene muy claro cómo sobrevivir. La determinación de su carácter, la destreza en el oficio y la confianza en sí mismo empujan al personaje al lugar donde pueda hacer aquello que le manda el destino. Él acepta su papel, y en el inicio del camino se encuentra con Cortado. Es el comienzo de la amistad, que significa la vida compartida, recorrer juntos el camino, experimentar el mundo en común[14].

Carriazo, personaje de *La ilustre fregona*, es hijo de una familia noble que vive en la ciudad de Burgos. Durante los años que reside en la casa de los padres, el joven puede apreciar en su familia un orden y un destino. Cuando cumple trece años descubre el enfrentamiento hacia el modelo paternal. Tiene el cariño de los padres, pero experimenta el deseo de rebelarse contra lo determinado. Habita dentro de los límites de su casa, pero presiente que la vida ofrece otras posibilidades. Necesita experimentar la aventura. El narrador nos cuenta las razones de la salida del joven con las siguientes palabras:

construidos al otro extremo de la férrea constricción de la narrativa picaresca. El mismo don Quijote es el integral evadido, no de Argel pero sí de la prisión de su identidad tipológica de uno 'de los de' (el hidalgo aldeano, sociológicamente varado en las playas de la historia», p. 35.

[12] Cervantes, *Novelas ejemplares*, p. 166.

[13] Cervantes, *Novelas ejemplares*, p. 167.

[14] No estoy de acuerdo con Stanislav Zimic, 1996, cuando considera que la novela cervantina nace por el estímulo de *Guzmán de Alfarache*, pero no con un propósito de imitación o parodia literaria, «sino de advertencia crítica, moral, sobre los potenciales efectos negativos de su lectura, de su representación de la experiencia picaresca, en lectores desprevenidos», p. 85, como don Quijote, Rincón y Cortado «enamorados de la novela picaresca, huyen de sus hogares, deseosos de emularlas con sus andanzas», p. 87. Los personajes más que vivir la literatura viven su propia vida, dentro de las circunstancias del espacio y del tiempo, desde ahí se relacionan con Carriazo. Ruth S. El Saffar, 1974, considera que «differing from the real picaro, however, Rincon and Cortado have chosen the mask of picaro as a disguise. Since the mask itself represents evasion, Rincon and Cortado have engaged itself removed from society», p. 36.

Trece años, o poco más, tendría Carriazo cuando, llevado de una inclinación picaresca, sin forzarle a ello algún mal tratamiento que sus padres le diesen, sólo por su gusto y antojo, se desgarró, como dicen los muchachos, de casa de sus padres, y se fue por el mundo adelante, tan contento de la vida libre, que en la mitad de las incomodidades y miserias que trae consigo no echaba de menos la abundancia de la casa de su padre, ni el andar a pie le cansaba, ni el frío le ofendía, ni el calor le enfadaba[15].

El futuro caballero, por su origen social, se muestra en 1600 irresistiblemente atraído hacia la vida libre que ofrece el mundo picaresco. Si el caballero medieval disfrutó la aventura en la guerra, la nobleza siente la nostalgia de las glorias guerreras y de los antepasados. El caballero moderno solo mantiene el recuerdo de haber vivido esta aventura. Si los nobles padres se pueden entretener en la corte o en la ciudad con juegos que imitaban las costumbres de la caballería medieval, los hijos prefieren vivir intensamente la aventura en el mundo picaresco. En este ambiente la vida es concebida como aventura. Es el escenario de lo imprevisible, el lugar de la posibilidad, el peligro continuo. El joven noble no se adapta a las formas de vida establecidas por los padres, y no renuncia a descubrir las posibilidades de la existencia para disfrutar una 'vida libre'[16].

Carriazo desea escapar de las limitaciones de la propia individualidad, liberarse del peso de la familia, alejarse de la sociedad legal. No acepta el destino familiar y se dispone a buscar la experiencia del ser en la aventura. El personaje cervantino se siente escindido entre las exigencias de los padres y las de la propia voluntad. El joven se libera de todos los lazos sociales comunes —familia y destino reservado por el nacimiento— y entra en la aventura. La imaginación del mundo

---

[15] Cervantes, *Novelas ejemplares*, p. 372. Esta es la definición y el ejemplo que da el *Diccionario de Autoridades* a la voz' desgarrarse': «vale también apartarse, dividirse o huirse uno de la compañía de otros, sin consideración de su ruina y perdición» y nos da este ejemplo del *Quijote* «Y buscaba ocasión de que sin entrar en cuentas, ni despedimientos con su Señor, un día se desgarrasse y se fuese de su casa», *Vol. II*, p. 174.

[16] En uno de sus apuntes, Elias Canetti comenta: «Los ilustres linajudos en las *Novelas ejemplares* de Cervantes no son menos encumbrados que en Shakespeare. Pero es hermoso ver a los retoños de los 'linajudos' cervantinos escaparse al menos unos años en busca de una vida 'más humilde': el joven noble que se vuelve gitano por amor (sólo que por desgracia, su amada resulta luego no ser gitana), o bien en *La ilustre fregona*, el joven que se lanza a la libertad y vuelve al cabo de tres años sin que sus nobles progenitores sospechen dónde ha estado realmente», en *Apuntes*, p. 765.

picaresco le ofrece la posibilidad de otro tipo de vida, le ayuda a levantar el vuelo para cambiar. Quiere encontrar un lugar más allá de los límites, nunca habitado por él, solamente pisado por la imaginación, recordado por la nostalgia de ser caballero. La sensación de aventura se apodera de Carriazo, y cuando traspasa el umbral de su casa se halla en un nuevo comienzo. Ahora ya su existencia se reviste con la idea de vivir en completa libertad. Rompe con la comodidad que le ofrece su familia para descubrir que las situaciones aparentemente incómodas, como la escasez o el frío, pueden proporcionar alegría ya que confieren una libertad capaz de gozar la vida. Cuando se 'desgarra' de la familia lo primero que tiene que hacer para vivir en libertad es cambiar su nombre: "Es de advertir que en su peregrinación don Diego mudó su nombre de Carriazo en el de Urdiales, y con este nombre se hizo llamar de los que el suyo no sabían"[17]. El nombre es la marca familiar, el que te sujeta a una tradición, el que te inscribe en un destino, el que te ata a una existencia determinada, el que te recuerda el origen. Para 'desgarrarse' de la familia es necesario iniciar el camino cambiando el nombre. Y aquí recuerdo el significado de esta acción con estas palabras de Elias Canetti: «Serás libre mientras no entres en la cuenta de los demás. Eres libre allí donde no te aman. El vehículo principal de la no libertad es tu nombre. Quien no lo conoce no tiene poder sobre ti»[18]. La aventura exige la determinación de ser libre, es un camino que no tiene en cuenta el pasado, siempre se vive en el presente.

Es verdad que cuando el hijo abandona la casa familiar se libera de la autoridad paterna. Ahora bien, la separación también le desorienta al alejarse de su origen. La huida de la casa es liberadora, pero es también desconcertante. La familia ofrece la estabilidad y la permanencia que el hijo necesita para saber orientarse. Con la salida el hijo pierde seguridad y tiene el peligro de poder convertirse en un ser inestable. Como muy bien explica Claudio Magris, desde los albores de nuestra cultura, en la familia «se experimenta la identidad con las cosas y la imprevista indiferencia por uno mismo y se aprende para siempre ese fatal y contradictorio impulso de huir y regresar en que, como enseña la *Odisea*, quizá consiste en general la vida»[19]. El espacio familiar se convierte en el primer lugar donde se nos ofrecen las modalidades y contradicciones

---

[17] Cervantes, *Novelas ejemplares*, p. 377.
[18] Canetti, *Apuntes*, p. 137.
[19] Magris, *Alfabetos*, p. 21.

del mundo, el medio donde se nos revela nuestra naturaleza. La casa natal significa dos cosas a la vez. Por un lado presenta la posibilidad de sentirse en el mundo como en casa, por otro huimos de ella para experimentar el mundo. Es un movimiento continuo. Un día salimos, después de un tiempo regresamos, rompemos con la familia para volver a su seno. De esta manera, con estos tres jóvenes personajes Cervantes marca con claridad la paradójica relación que mantienen los hijos con la familia. Cortado, Rincón y Carriazo quieren vivir de acuerdo con su voluntad, desean afirmarse como individuos experimentando la libertad más amplia posible. En la aventura pueden vivir cada momento intensamente: en el peligro, en la sorpresa constante, en la novedad continua, en la falta de hábitos, en la posibilidad de cambiar la identidad. Los jóvenes no consienten acomodarse. Les anima el amor y el deseo de vivir en la mayor plenitud. Como son jóvenes necesitan conocer, experimentar las amplias posibilidades que ofrece la vida. Sin embargo, el deseo de los personajes de vivir la libertad y la aventura conduce al lector a estas inevitables preguntas: ¿dónde vivir la aventura? ¿dónde experimentar una libertad sin límites? ¿es posible vivir en plenitud o es un afán inocente de los jóvenes? ¿cuál es el significado de la libertad? Responder estas preguntas es difícil porque la libertad humana es enigmática. Los personajes cervantinos son jóvenes, carecen de conocimiento. Todavía tienen la sensación de invulnerabilidad. La experiencia vivida les dará la respuesta. Es necesario recorrer el camino, ser un extranjero para conocer después tu propio lugar en el mundo[20].

En el azaroso camino de la vida Cortado se encuentra con Rincón. Entre los dos se establece una amistad, un vínculo tan fuerte como la

[20] Imre Kertész apunta: «Sea como fuere, lo cierto es que, al preguntar por la libertad, el ser humano llega a las preguntas que se refieren a su existencia y a su personalidad; y como no hay repuestas a estas preguntas, una persona en sus cabales no puede hablar seriamente sobre la libertad. Así y todo la libertad es la pregunta más seria del hombre; y si el hombre quiere ser realmente serio, deberá quedarse aquí, en esta paradoja», en *Diario de galera*, p. 44. Es la pregunta que tan frecuentemente se hace Cervantes y la paradoja que encuentra como respuesta. Así, por ejemplo, cuando se acerca al mundo gitano en *La gitanilla*. Como asegura Francisco Márquez Villanueva: «El mundo de vida de los gitanos responde por entero a la alteridad de un 'orden' aparte y en gran medida opuesto al que impera en el mundo exterior o planeta distinto de la Monarquía católica y su ociosa corte madrileña», 2005, p. 77. Es verdad, pero solo aparentemente, porque el modo de vida gitano está sometido a reglas y a una autoridad muy estricta producto de la tradición y del carácter tribal.

familia. Por eso van a llevar una vida compartida. Recorren juntos el camino y tienen una experiencia común. Los amigos están de acuerdo en dirigirse a Sevilla «donde ellos tenían grande deseo de verse»[21]. Son llevados por la fascinación de la metrópolis donde todo es posible. En esta gran ciudad, donde nadie los conoce, podrán ejercitar sus habilidades con más facilidad y ser completamente libres. No quieren entrar al servicio de un soldado, ni de ninguna otra persona porque su deseo es llevar una vida libre. Creen que la ciudad andaluza es el lugar idóneo para experimentar la libertad plena. Sin embargo, lo primero que tienen que hacer al entrar en Sevilla es pasar «por la puerta de la Aduana, a causa del registro y almojarifazgo que se paga»[22]. La sociedad legal somete al individuo a unas reglas de las que no puede escapar.

Sin embargo, los jóvenes no desean someterse a las reglas legales, ni siquiera aceptan vivir en la sociedad legal. Ambicionan ir más allá, situarse al otro lado, en ese espacio donde no hay restricciones. Eligen la vida de la delincuencia porque creen que se librarán de las barreras y podrán ser libres. Cuando Rincón y Cortado empiezan a actuar como ladrones, se dan cuenta de que cualquier persona que desee robar en Sevilla tiene que entrar en la cofradía de Monipodio, dueño y señor de todos los delincuentes. Así, cuando un mozo los descubre robando, les pregunta: «¿cómo no han ido a la aduana del señor Monipodio?». Rincón, extrañado y con ironía, le responde con otra pregunta: «¿Págase en esta tierra almojarifazgo de ladrones, señor galán?». A lo que

---

[21] Cervantes, *Novelas ejemplares*, p. 170. En relación con esta ciudad andaluza señala Francisco Márquez Villanueva: «Sevilla era una ciudad feliz. La prosperidad y el alegre desenfado con que allí pasaban los días carecía de paralelo en España ni fuera de ella. Su mismo endémico desgobierno redundaba en fomentar a fin de cuentas la *joie de vivre* de sus habitantes, lo cual es, como sabemos un tema crucial de la novela de *Rinconete y Cortadillo*». Una página después nos dice que para Cervantes Sevilla «será solo un documento viviente acerca del acelerado y universal desbarajuste en que empezaba a disolverse lo que hoy decimos estado y sociedad y entonces llamaban nada más 'la Monarquía'», 2005, pp. 140-141. También fue Francisco Márquez Villanueva quien nos presentó el siguiente texto de la *Miscelánea* de Luis Zapata sobre una sociedad del crimen organizado: «En Sevilla dicen que hay cofradía de ladrones, con su prior y cónsules, como mercaderes. Hay depositario entre ellos en cuya casa se recogen los hurtos, y arca de tres llaves donde se echa lo que se hurta y lo que se vende, y sacan de allí para el gasto y para cohechar lo que pueden para su remedio cuando se ven en aprieto. [...]. No acogen sino a criados de hombres poderosos y favorecidos en la ciudad y ministros de justicia», 1973, p. 110.

[22] Cervantes, *Novelas ejemplares*, p. 170.

responde el mozo: «Si no se paga a lo menos regístranse ante el señor Monipodio, que es su padre, su maestro y su amparo; y así les aconsejo que vengan conmigo a darle obediencia, o si no, no se atrevan a hurtar sin su señal, que le costará caro.»[23]. La sociedad del crimen tiene una organización tan estricta como la legal. Es la primera contrariedad a su anhelo de libertad, pero los jóvenes están aprendiendo. Necesitan la experiencia para formarse y madurar. Si creían que había una libertad completa en la vida criminal, ahora van a conocer el mundo del hampa directamente. Acompañados del mozo, los dos amigos se dirigen a la casa de Monipodio. Allí se encuentran con la sorpresa de que todos los ladrones tienen que pagar almojarifazgo para registrarse y entrar al servicio de Monipodio. Ante este acto tan inesperado, reacciona Cortado con las siguientes palabras: «Yo pensé que el hurtar era oficio libre»[24]. Es el primer indicio de lo que el personaje tendrá que ir descubriendo poco a poco, según transcurra el tiempo y aumente la experiencia: el carácter paradójico de la libertad. Ahora ya intuimos que a través de la representación de Monipodio y sus cofrades, Cervantes va a sondear los intrincamientos en que se mueve la libertad. Rincón y Cortado, que tantos deseos tenían de llevar una vida libre, que deciden entrar en la ilegalidad para no someterse a las reglas legales, empiezan a descubrir las contradicciones de la libertad. Los dos amigos querían ir más allá de las barreras que les imponen la sociedad y la familia. Para llevar a cabo este anhelo de sentirse libres entran en la vida criminal. En los actos de estos jóvenes se representa la tensión del ser humano que en la búsqueda de la libertad desea ir más allá de los propios límites. 'Yo pensé' expresa la imaginación anterior a la experiencia, la conciencia que quiere elegir ante un horizonte de posibilidades. Pero, también, 'yo pensé' señala el enfrentamiento entre la imaginación y la circunstancia presente, entre la nostalgia de una vida libre y el engranaje de la realidad, entre la posibilidad y los riesgos que comporta. La posibilidad de elegir puede llevarnos al mal. La libertad de Rincón y Cortado les conduce a introducirse en la sociedad del crimen, es decir, a escoger lo más perverso[25].

---

[23] Cervantes, *Novelas ejemplares*, p. 177.

[24] Cervantes, *Novelas ejemplares*, p. 177.

[25] Los dos personajes representan el drama de la libertad humana del que nos habla Rüdiger Safranski, 2010, cuando explica la existencia del mal. «El mal —nos dice— no es ningún concepto; es más bien un nombre para lo amenazador; algo que sale al paso de la conciencia libre y que ella puede realizar. [...] Y la conciencia

Para pertenecer a la cofradía de Monipodio, los integrantes tienen que adquirir una nueva identidad: cambiar sus nombres, conocer un nuevo lenguaje y adquirir una nueva sensibilidad moral. Monipodio es el poder absoluto. Todos obedecen y deben lealtad al que es para ellos como un padre y un rey. El nuevo jefe les cambia los nombres a Rinconete y Cortadillo porque «quiero y es mi voluntad», —les dice—[26]. No son ellos los que se dan nuevos nombres, como hizo Carriazo, sino que se los imponen. Los dos jóvenes encuentran en Monipodio un nuevo padre, pero quizás más autoritario que el propio. El capo sevillano los acepta como 'cofrades mayores'. Inmediatamente les da órdenes de lo que tienen que hacer y dónde tienen que actuar. La concepción de la cofradía es paternalista en esencia, con Monipodio como padre severo. Él vela por sus cofrades, los dirige y administra imparcialmente la justicia. La cofradía se basa en unas reglas fijas que no se deben romper, ni cuestionar. Monipodio irradia poder en contraste con la sumisión de los cofrades que le otorgan superioridad y le dan sentido[27].

El mundo del crimen sevillano no es el desecho de la sociedad legal, sino un subproducto directamente originado por esta. Es una sociedad paralela y se convierte en un espejo deformado de la sociedad legal. La imitación de la sociedad legal ejecutada desde el mal va a deformar las imágenes con las formas de lo grotesco. Si el monarca es el guardián

---

puede elegir la crueldad, la destrucción por mor de ella misma. Los fundamentos para ello son el abismo que se abre en el hombre», p. 14. Unas páginas más adelante, afirma que la conciencia «puede ser seducida también por lo que no le corresponde. Esta libertad aún no incluye el hecho de que el hombre conozca también lo que le corresponde. El problema está en que el conocimiento todavía no se halla a la altura de la libertad. Pero el hombre aprenderá y aprenderá también a través de los fracasos», p. 22.

[26] Cervantes, *Novelas ejemplares*, p. 185.

[27] Para entender mejor a Monipodio y los cofrades, personajes grotescos, es pertinente comprender la figura del Rey en el siglo XVII. Como señala John H. Elliott: «La concepción de la monarquía en estas diversas formas de representación era paternalista en esencia, con el soberano como padre severo, pero que vela por sus pueblos, los gobierna y administra imparcialmente justicia, a imitación del Padre divino que rige el cielo y la tierra», 2009, p. 232. Unas páginas más adelante apunta una característica fundamental de la monarquía: la lealtad. Nos dice que «resulta imposible comprender la supervivencia de la monarquía sin tener en cuenta esta lealtad profunda e instintiva hacia la persona del monarca, guardada casi universalmente por tanto tiempo como era posible, a pesar de todas las indicaciones de que hubiera fracasado en su deber hacia los súbditos», 2009, p. 237.

y garante del orden en la sociedad jerarquizada, lo mismo hará Monipodio en esta sociedad del crimen. Como el rey, el capo sevillano es el padre de todos, severo y autoritario, amado y temido. Como la sociedad legal, la cofradía tiene una estructura piramidal. Incluso observamos que los cofrades también son religiosos, son devotos de los santos y de la Virgen. Los valores y normas socialmente vinculantes son degradados cuando el mal se lleva a cabo. Los cofrades ejecutan el mal hasta convertirse en personajes abyectos. En su moral han otorgado rango de bien al mal, de virtud al vicio. Por su parte, Monipodio representa la crueldad y el poder unidos en una misma persona. Inflige sufrimiento a otros con el propósito de obtener un beneficio económico y un control del poder. La crueldad unida al poder absoluto crea una tiranía. La mistificación de los jóvenes Rincón y Cortado se agrava cuando entran en el mundo de la delincuencia organizada. Han sentido la nostalgia de la libertad, el deseo de vivir lo que dictaba la imaginación, 'yo pensé que...'. Ahora comprueban directamente cómo se vive la libertad en el mundo de la delincuencia, el despotismo absoluto de Monipodio y la abyección de los cofrades. Poco a poco, el 'yo pensé' se va desmoronando con la realidad presente para ofrecernos el 'yo pienso' que ofrece el final de la novela[28].

Carriazo es un joven noble que ha pasado tres veranos en las almadrabas llevado por la inclinación picaresca. La novela nos presenta la formación del personaje, su experiencia total de la realidad a través de la vida aventurera en las almadrabas y de la vida en Burgos en la casa de los padres. De esta manera se contraponen la vida libre de la aventura con la vida reglamentada de la sociedad. Una dolorosa antítesis porque las dos son difícilmente reconciliables. El personaje cervantino encarna

---

[28] Como observa muy bien Jesús G. Maestro: «El espacio de Monipodio es una organización social efectiva, en la que las fuerzas del orden son ladrones profesionales y organizados. Los delincuentes funcionan como una red policial, alternativa y combinada con ciertos alguaciles y con determinados nobles, que solicitan sus servicios. Es una mundo al revés, en el que el ladrón hace la guardia, custodiando la salud física y el orden moral del gremio», 2007, p. 96. Por su parte, Ron Keightley, 1984, asegura que los aspectos religiosos y económicos son secundarios en el mundo alternativo de valores distorsionados que representa Monipodio, en p. 52, el patio se convierte en fotografía negativa de la monarquía; por lo tanto, el mundo al revés de Monipodio ilumina la monarquía española del siglo XVII, en p. 54. Para mí es importante señalar las relaciones entre las dos sociedades, los encuentros que mantienen los dos mundos, las interrelaciones.

la escisión entre la libertad y el orden social. Al sentido de la realidad se contrapone el sentido de la posibilidad. Carriazo se 'desgarra' de los padres porque quiere vivir libre y, como consecuencia, acude a un espacio separado del orden social, las almadrabas. La vida en este lugar se representa como una constante paradoja. Pero es un espacio apartado donde aparentemente se superan los contrastes. El narrador nos presenta las almadrabas así: «¡Allí, allí que está en su centro el trabajo junto con la poltronería! Allí está la suciedad limpia,... Allí campea la libertad y luce el trabajo; allí van o envían, muchos padres principales a buscar a sus hijos y los hallan; y tanto sienten sacarlos de aquella vida como si los llevaran a dar la muerte»[29]. Allí se resuelve la paradoja. Se funden la suciedad y la limpieza, el trabajo y la pereza, el hambre y la hartura, la libertad y el trabajo. Se vive en la totalidad porque existe una unidad entre el yo y la vida. La libertad es un fin que da sentido a la existencia. El joven se abandona a emocionantes experiencias vitales, vive tan intensamente que se unen los opuestos. Es la alegría de una existencia inmediata —liberada del futuro o del destino—. Es una vida desnuda —'sin disfraz el vicio'—, que está animada por la pasión. Las almadrabas son la expresión de la vida concebida como aventura. Las dificultades se eliminan con la alegría de la libertad. Es una vida intensificada donde el joven puede liberar un exceso de energías con las acciones libres. Y allí hay jóvenes hijos de personas principales, como Carriazo, que sienten el regreso a la vida ordenada como si fuera la muerte. El mundo reglamentado, la rutina, el destino asignado se perciben como aburrimiento y hastío[30].

La intensa experiencia vital de Carriazo en las almadrabas provoca que la vuelta a casa sea problemática. Cuando regresa, lo primero que tiene que hacer es cambiar la apariencia. El joven procedente de Zahara llega a Valladolid. En esta ciudad se detiene quince días «para reformar la

---

[29] Cervantes, *Novelas ejemplares*, p. 375.

[30] El joven siempre se presenta con el deseo de llevar una vida plena, de vivir intensamente cada momento. El problema es que cuando pasan los años y llegamos a la vejez nos damos cuenta de que no hemos tenido tantos momentos de plenitud. El príncipe Salina en *El gatopardo* cuando reflexiona sobre el tiempo vivido dice: «Tengo setenta y tres años, en total habré vivido, realmente vivido, un total de dos..., todo lo más tres», Lampedusa, p. 260. O las palabras de Imre Kertész al anotar en su diario: «Días que transcurren únicamente por la continuidad. Sólo deberíamos vivir los días inspirados, llenos de vida, y estar muertos entre tanto, en los periodos de oscuridad, hasta que la fiebre de la vida vuelva a despertarnos», en *Diario de la galera*, p. 250.

color del rostro, sacándola de mulata a flamenca, y para trastejarse y sacarse del borrador de pícaro y ponerse en limpio caballero»[31]. Tiene que metamorfosearse de pícaro a caballero, de la aventura a lo cotidiano. Esta transformación exterior le resulta fácil, pero en su interior permanece el espíritu de aventura, que es difícil olvidar. Después de vivir en el espacio abierto de las almadrabas es problemático acostumbrarse a los límites de la vida en casa de los padres. Además, necesita obedecer las reglas de la sociedad. La libertad, el sentir la existencia con pasión, el vivir plenamente son fuertes experiencias de su tiempo en las almadrabas que permanecen presentes en el interior del joven durante la estancia en la casa: «en ellas tenía de contino puesta la imaginación, especialmente cuando vio que se llegaba el tiempo donde había prometido a sus amigos la vuelta»[32]. Para estar contento con los padres tiene que olvidarse completamente de la vida aventurera y disolverse en el ser de la comunidad: ser caballero. Por el contrario, si conserva el sentimiento aventurero, pasará los días en contradicción consigo mismo, escindido el ser entre la inclinación picaresca y el deber social. El personaje no disfruta de una totalidad de vida donde existe la armonía. Vive ya en la contradicción, escindido entre dos realidades. Por esta razón, el narrador destaca que la vida que lleva el joven caballero con los padres no le satisface: «Ni le entretenía la caza, en que su padre le ocupaba, ni los muchos, honestos y gustosos convites que en aquella ciudad se usan le daban gusto. Todo pasatiempo le cansaba, y a todos los mayores que le ofrecían anteponía el que había recibido en las almadrabas»[33].

Carriazo vive en la contradicción, su personalidad está escindida. Como resultado, el extrañamiento se apodera del joven en el regreso a la normalidad. Ni siquiera la caza o los pasatiempos lo entretienen. De nuevo, en la casa familiar se siente paralizado en la acción porque está atado a la voluntad de los padres y a una vida reglamentada. Los días vividos en la rutina le resultan inaceptables. En la imaginación se mantiene la representación de la vida libre y la voluntad desea recuperar lo perdido. Se contraponen los dos tipos de vida y la imposibilidad de reconciliarlas. El personaje muestra el desarraigo respecto al lugar originario que se siente impulsado a abandonar de nuevo. La vuelta a casa produce una escisión entre el yo y la vida, un sentimiento de añoranza

---

[31] Cervantes, *Novelas ejemplares*, p. 377.
[32] Cervantes, *Novelas ejemplares*, p. 377.
[33] Cervantes, *Novelas ejemplares*, p. 377.

de la vida armoniosa que ha abandonado. Este desdoblamiento que siente el personaje es doloroso, le angustia y le entristece. Se desvanece del lugar que habita y solo puede vivir en la imaginación. Avendaño, su amigo íntimo, que lo ve con frecuencia «melancólico e imaginativo», le pregunta por las causas de su estado de tristeza. Carriazo le explica con detalle la vida en las almadrabas para concluir que«todas sus tristezas y pensamientos nacían del deseo que tenía de volver a ella»[34]. Tan convincentes son las palabras con las que cuenta sus aventuras que disponen la voluntad del amigo para acompañarlo: «determinó a irse con él a gozar un verano de aquella felicísima vida que le había descrito»[35]. Para crecer y vivir, para conocerse y madurar, el joven Avendaño también siente que necesita experimentar las posibilidades de la vida, introducirse en el camino desconocido, sentirse vivo en la aventura. Los dos jóvenes salen de su casa para 'madurar', para sentirse libres y actuar según su voluntad. Solo de esta manera podrán volver más tarde a la casa natal para aceptarla y reconocerla. Tienen que conocer la posibilidad del éxito o del fracaso que supone vivir la aventura.

Quien entra en el espacio abierto de la aventura no es consciente de los peligros que le esperan. Goza del valor para enfrentar los desafíos. Posiblemente Carriazo, en la representación de su vida en las almadrabas, no ha contado a Avendaño los peligros que le amenazan, porque no los ha sufrido. Su afán es inocente. Sacude la imaginación del amigo con la representación de las almadrabas. En ese preciso momento, en que la existencia resulta un tanto aburrida, la ilusión de vivir la aventura les da alas para salir. Como jóvenes gozan una sensación de invulnerabilidad, como si nadie pudiera hacerles daño, como si el riesgo no conllevara el dolor o la cárcel. Sin embargo, la aventura, como la libertad, es paradójica. Contiene los dos lados de la moneda. Junto a la vida libre está el peligro de caer en cautividad, al lado de la alegría está la tristeza dolorosa. El narrador nos lo explica claramente con estas palabras: «Pero toda esta dulzura que he pintado tiene un amargo acíbar que la amarga, y es no poder dormir sueño seguro sin el temor de que en un instante los trasladan de Zahara a Berbería»[36]. El aventurero se sitúa al borde del abismo, de la libertad más plena de puede caer en el cautiverio. Este peligro se le manifiesta a Carriazo como hecho real en la ciudad

---

[34] Cervantes, *Novelas ejemplares*, p. 377.
[35] Cervantes, *Novelas ejemplares*, p. 377.
[36] Cervantes, *Novelas ejemplares*, p. 375.

de Toledo. Aquí el personaje experimentará el mundo de la picaresca en un espacio concreto, en una ciudad que no está separada y aislada como Zahara. La vida picaresca de las almadrabas se convierte en dolor físico en Toledo. La libertad amplia se transforma en Toledo en un espacio lleno de barreras difíciles de traspasar. La audacia aventurera se refrena ante la autoridad legal. En la ciudad el joven Carriazo percibe el desprecio de los muchachos que se burlan de él, siente en su cuerpo la paliza que le dan los alguaciles por resistirse a ser detenido y experimenta la opresión del calabozo. De tal manera, que el joven, conocido en Toledo como el Asturiano, cuando es llamado por el Corregidor a la voz de 'cárcel' y de 'preso', es presentado por el narrador con este lamentable aspecto: «venía el Asturiano todos los dientes bañados en sangre, y muy mal parado, y muy bien asido del alguacil...»[37]. Ahora se hace realidad el dolor y el peligro de la cárcel que conlleva una vida aventurera. El joven descubre la otra cara de la aventura, la que conocía hasta este momento solo de oídas. En Toledo el peso de la realidad se impone a la ilusión. En la ciudad se manifiesta la distancia entre el anhelar y el conocer, aquí el individuo libre puede terminar en la cárcel. Zahara—'allí, allí'—representa la fascinación del joven por la nostalgia épica de vivir la aventura. Toledo es la contrapartida, es la inserción en la realidad, en el aquí, en el presente. En las almadrabas encuentra una vida armoniosa y unificada. Es el lugar donde se superan las contradicciones, «allí está la suciedad limpia»; pero es un espacio aislado, separado del resto[38].

La mistificación, propia del joven personaje aventurero, se agrava cuando entra en el mundo real de la delincuencia o de la picaresca. Rincón y Cortado que viajan a Sevilla con el deseo de encontrar una vida libre, de experimentar una libertad plena sin la autoridad de los

---

[37] Cervantes, *Novelas ejemplares*, p. 436.

[38] Es importante señalar la diferencia entre las almadrabas y Toledo. Henry Sieber observa que en Toledo «el mundo que encuentra Carriazo es casi el opuesto del amor ideal; encuentra el mundo picaresco verdadero. Después de una disputa lo encierran en un calabozo. Se enamora de él la Arguella, una moza desenvuelta de la venta. Y al final de la novela, Carriazo, herido, cubierto de sangre es detenido por la justicia» (*Vol. II*, pp. 22-23). De manera distinta lo entiende Stanislav Zimic: «las aventuras toledanas de Carriazo tienen el propósito, entre otros, de hacernos imaginar más concretamente, su vida pasada en las almadrabas..., a la que antes se alude sólo de modo general», 1996, p. 266, y concluye que en Toledo encuentra «ocasiones comparables a las ya saboreadas en las almadrabas», p. 267. No son semejantes, en Toledo se encuentra con la 'picaresca real'.

padres y sin las constricciones del pueblo pequeño, van a conocer el fracaso de su ilusión. En la ciudad sevillana los jóvenes descubren un nuevo padre y una sociedad del crimen donde la crueldad unida al poder crea una tiranía. En este espacio la libertad no puede existir. En la cofradía de Monipodio funcionan las mismas reglas que en la sociedad legal, pero degradadas. Los cofrades son parecidos a los otros hombres, pero la abyección los domina, son incapaces de distinguir entre el bien y el mal, en ellos se ha producido un colapso moral. Los valores y normas socialmente vinculantes se convierten en grotescos cuando son ejecutados por el mal. La imitación de las reglas de la vida común degrada la dignidad y la libertad de los cofrades hasta convertirlos en personajes grotescos. Rincón, que es de «buen entendimiento», después de considerar lo que ha oído a Monipodio y de ver el comportamiento de los cofrades, «propuso en sí de aconsejar a su compañero no durasen mucho en aquella vida tan perdida y tan mala, tan inquieta y tan libre y disoluta»[39]. Aun así, no se lo dice a su amigo en ese momento, ni siquiera al día siguiente. Los dos pasaron en el hampa sevillana «algunos meses» antes de abandonar definitivamente tan 'humana' compañía. Tienen que experimentar por un tiempo la abyección y la deshumanización para estar seguros de que la libertad no existe al otro lado de la sociedad. Toda acción que supera un cierto punto se extravía en la negación. Ya saben que la vida del hampa es «libre y disoluta». La libertad se convierte en una paradoja situada siempre entre dos contradicciones. Han tenido que experimentar la degradación para establecer límites a la libertad. Una vez vivida la experiencia del hampa, llevada a la práctica la ilusión de la libertad, los dos jóvenes conocen mejor al hombre y a la sociedad. En ellos ha crecido el conocimiento del mundo y los dos jóvenes han madurado con lo vivido. Pueden regresar a casa.

La nostalgia de la vida aventurera termina para Carriazo después de conocer el dolor y la falta de libertad de la vida picaresca en Toledo, donde encuentra el 'mundo picaresco verdadero'. La pesadumbre de la realidad se impone a la ilusión de la aventura. El joven crece y madura al experimentar el dolor y la cárcel. El conocimiento le prepara para volver a casa. Cuando se encuentra delante de su padre, el joven olvida la vida pasada y vuelve a los orígenes. Con las siguientes palabras nos cuenta el narrador el regreso del hijo: «Hincó las rodillas Carriazo, y fuese a poner a los pies de su padre, que con lágrimas en los ojos, le tuvo

---

[39] Cervantes, *Novelas ejemplares*, p. 215.

abrazado un buen espacio»[40]. El joven 'desgarrado' de sus padres, se siente unido a la familia en el abrazo. Todo termina con el casamiento de los dos jóvenes amigos y, como en todo regreso feliz, con el nacimiento de los hijos: «y Carriazo, ni más ni menos, con tres hijos, que sin tomar el estilo del padre ni acordarse si hay almadrabas en el mundo, hoy están todos estudiando en Salamanca»[41]. El *ethos* de la nobleza, que siempre se había mantenido en el comportamiento con otros en las almadrabas, se impone ya completamente en su vida. Carriazo regresa a su identidad primigenia. Al no poder vivir la aventura en Toledo, vive en lo que ya está determinado de antemano y termina ocupando el lugar de su padre. Acepta el destino común y se mantiene dentro de los límites del mundo organizado. Ya no hay rebeldía contra el destino, solo cabe implicación y aceptación de la vida en común con sentido de continuidad[42].

Quizás en el camino de vuelta los tres jóvenes aventureros se pregunten de nuevo sobre el significado de la libertad. Es seguro que con el conocimiento adquirido puedan ofrecer una respuesta. Cabe la posibilidad que su comprensión de la libertad se acerque a la que nos ofrece Rüdiger Safranski:

> ¿Qué significa libertad perfecta? Es una libertad que alcanza la vida lograda. Pero la cosa no se comporta así en el hombre. La libertad es en él una oportunidad, no una garantía de éxito. Su vida puede fracasar y fracasar por libertad. El precio de la libertad humana es precisamente esta posibilidad de fracaso. Es obvio que el hombre preferiría una libertad sin este riesgo[43].

El personaje cervantino ha tomado el riego y ha aprendido de los fracasos. Madura con la experiencia y adquiere el conocimiento para realizar una vida plena. En el regreso a casa buscará alcanzar 'la vida lograda'[44].

[40] Cervantes, *Novelas ejemplares*, p. 436.
[41] Cervantes, *Novelas ejemplares*, p. 439.
[42] Y es que como afirma Goethe hay que ser paciente con la juventud, pues «es suficiente con dejar que la juventud siga su curso, pues no pasará mucho tiempo ligada a máximas falsas. La vida pronto termina por apartarla de ellas, ya sea con violencia o persuasión», en *Poesía y verdad*, p. 233.
[43] Safranski, 2010, p. 23.
[44] Pues como apunta Imre Kertész en su diario: «Creo haber nacido para una vida de mayor calidad que la que me ha sido dada. Pero es una manifestación arrogante, y la arrogancia es siempre, básicamente, estupidez. Vivir la vida, la que ha tocado, y vivirla de tal modo que nos toque plenamente: esa es la tarea de la vida, la vivamos donde la vivamos», en *Diario de galera*, p. 232.

Rincón, Cortado y Carriazo abandonaron su casa impulsados por una nostalgia insaciable de libertad y aventura, que nunca se olvida cuando se es joven y se carece de experiencia y conocimiento de la vida. Los personajes han intentado superarse a sí mismos, elevándose sobre todos los límites de la condición humana, saltándose las reglas que exigen el tiempo y el lugar donde viven, como si no hubiera barreras temporales o terrenales. Sin embargo, cuando experimentan la abyección del mundo del hampa que representa Monipodio o la violencia de la vida picaresca en Toledo, la realidad se impone. El conocimiento cierra el círculo del destino. Con el regreso a casa los personajes están encauzados en la corriente del tiempo y del lugar, se insertan ya en la familia y en la sociedad. Y es que como enseñan la *Odisea* o la *Biblia* la vida es paradoja y consiste en esa permanente contradicción entre la salida y el regreso. Con estas esclarecedoras palabras nos explica Claudio Magris este movimiento constante:

> desde el éxodo con que comienza la historia de la salvación no sólo de Israel, sino de la humanidad, de todos los hombres, porque sin salir de sí mismo, sin dejar los propios orígenes, sin abandonar lo que se recibe como un punto de partida, no hay crecimiento, ni maduración, ni libertad y no hay ninguna posibilidad de regresar libre y creativamente a los orígenes y a la casa natal, que ya no se soporta pasivamente como obligados por lazos viscerales, sino reconocida y amada con el amor que vivifica sólo si está libre de toda idolatría, incluso frente a sí mismo[45].

Los jóvenes realizan el viaje circular de Ulises, el éxodo y el retorno bíblicos: salen de casa, recorren un camino y regresan a casa. Pero en la vuelta la casa tiene ya un significado diferente gracias a la salida. El personaje cervantino abandona la casa familiar porque rechaza la realidad tal y como es. Es joven y sale para vivir más intensamente. Siente la nostalgia de una vida libre y aventurera. La vida que le ha tocado no es realmente la que él ha elegido y desea conocer otras posibilidades para buscar la plenitud. La libertad y la aventura ofrecen un sentido a la vida. Pero en ese afán de conseguir la libertad o de vivir la aventura, los personajes pueden acercarse a lo perverso y doloroso. Es el drama de la libertad humana. Cervantes nos sitúa ante la paradoja de la libertad. El personaje es libre, pero puede elegir equivocadamente. Necesita

---

[45] Magris, *Alfabetos*, p. 235.

la experiencia para conocer los propios límites. El personaje se halla situado en la permanente paradoja, entre la vida y la aventura, entre la constricción y la libertad. Una vez resuelta esta tensión se da cuenta de los propios límites. Todo es posible, pero dentro de los límites que vienen dados por la condición humana. Dentro de la frontera de lo posible, merece la pena vivir. Esto es lo que nos descubre Cervantes. Cuando los personajes maduran y adquieren el conocimiento que les da la experiencia de la vida, regresan a la casa. Una vez que se pasan esas fronteras, nos damos cuenta de que los personajes entran en el desorden o sufren la violencia gratuita. Deben dar marcha atrás porque necesitan vivir con los demás. La sociedad exige vivir dentro de unos límites que garanticen la libertad y la dignidad al ser humano. El paso de los límites conlleva la contradicción, la tensión difícil de soportar, el peligro de dejar de ser[46]. La vida puede fracasar por la libertad.

Con estas inteligentes palabras, que me sirven para ilustrar el recorrido de nuestros personajes, explica Elias Canetti el problemático significado de la libertad:

> La palabra *libertad* sirve para expresar una tensión importante, acaso la más importante. Siempre queremos *irnos* y cuando el lugar a donde queremos ir carece de nombre, cuando es impreciso y no vemos en él límite alguno, lo llamamos libertad.
> La expresión espacial de esta tensión es el intenso deseo de traspasar un límite, como si este no existiera. [...]; la libertad y la dicha de la libertad es la tensión del ser humano que quiere ir más allá de sus propias barreras y, para cumplir este deseo, elige siempre las barreras más perversas[47].

Los jóvenes salen para superar la contingencia, tienen la intención de elevarse sobre la vida cotidiana. Se desgarran de los padres, se destierran del lugar para aprender por sí mismos. La libertad les ofrece la oportunidad de

---

[46] Rüdiger Safranski se acerca a un filósofo como Hegel, «un especialista en la reflexión superadora de los límites», para ver que cuando Hegel se acerca al terreno de los hechos defiende la necesidad vital de los límites. Y nos ofrece el siguiente texto: «Algo es lo que es sólo en su límite y por su límite. Con ello el límite no puede presentarse como meramente exterior a la existencia [...]. El hombre en tanto quiere ser real, tiene que ser ahí y delimitarse en relación con sus términos finales. Quien siente náusea de lo finito no llega a ninguna realidad, sino que se queda en abstracciones y se va extinguiendo en sí mismo», *El mal*, p. 116.

[47] Canetti, *Apuntes*, pp. 7-8.

elegir. Además, quieren ver si en el mundo se confirman los deseos, las ideas de la imaginación: 'yo pensé'. Los jóvenes personajes traspasan los límites de la libertad y eligen vivir dentro de unas 'barreras más perversas', como son la sociedad del crimen y el mundo picaresco de Toledo. La lección que han aprendido es muy sencilla. Para vivir en la realidad es necesario compartir el destino común, aprender a vivir y a morir en lo concreto. La vuelta a casa podría desembocar en la desdicha del personaje, como le sucedió a Carriazo en el primer regreso. Sin embargo, los jóvenes han madurado y están preparados para vivir la vuelta a casa con naturalidad. No lo entienden como un fracaso, sino como una aceptación de lo que es. Con la vuelta a casa se sugiere una naturaleza común a los hombres. La experiencia de los personajes descubre los límites de lo posible. La libertad es paradójica, vivirla intensamente es apasionante; pero también es una aventura arriesgada. La elección puede resultar extenuante debido al riesgo continuo, y también puede conducir a la degradación absoluta. Cervantes ha representado con la vida de Rincón, Cortado y Carriazo la contradictoria experiencia de la libertad y sus límites. Los personajes han perdido la inocencia que les con-ducía a la nostalgia de una libertad plena. Ahora disfrutan de una libertad que puede alcanzar 'la vida lograda'. Una vida plena basada en la armonía entre la existencia individual y social.

Capítulo 2

LA AVENTURA DEL CONOCIMIENTO

> —Supongo que se trata de un afán inmoderado
> de saber, pero ¿por qué no contentarse con ser
> persona educada? ¿Para qué abusar de ello? ¿Para
> qué insultar a las personas decentes, como lo
> hace ese bribón de Zamiatov? (Ilya Petrovich)[1].

En el Paraíso se encuentran dos árboles: el árbol de la vida y el árbol
de la ciencia del bien y del mal. Dios prohibió comer del árbol de la
ciencia. Desde este momento otorgó a los seres humanos la capacidad
de elegir. Podían cumplir o desoír el mandato. El hombre sabe que es
malo comer del árbol del conocimiento; pero Dios le ha otorgado el
don de la libertad. La aventura del conocimiento comienza unida a la
aventura de la libertad. La conciencia de libertad se convierte en un
anhelo de conocer. Adán y Eva desoyen la prohibición cuando son se-
ducidos por las palabras de la serpiente: «Entonces la serpiente dijo a la
mujer: de ningún modo moriréis de muerte; más bien, Dios sabe que
tan pronto comáis del árbol, se abrirán vuestros ojos y seréis como Dios,
conocedores del bien y del mal»[2]. El hombre y la mujer aspiran a ser
como Dios, omnipotentes y omniscientes. Ahora bien, con la prohibición Dios marca los límites al ser humano: no puede hacerlo todo ni
saberlo todo. El ambicioso deseo de saber es castigado por Dios con la
expulsión y con la muerte. Es imperativo conocer los límites. No ha de
querer saber demasiado, sino solo aquello que le corresponde. Si inten-
tara saberlo todo nunca lo alcanzaría y, además, su ser quedaría dañado.
Ahora bien, los castigos e inconvenientes de alcanzar el conocimiento

---

[1] Dostoyevski, *Crimen y castigo*, p. 670.
[2] *Génesis*, 3: 4-5.

no han detenido al hombre y, a pesar de los límites y de los daños, va a seguir tentado por esta aspiración. Así pues, descubrimos en la historia bíblica del Paraíso y del pecado original la explicación del origen del conocimiento, de la libertad y de los límites del hombre[3].

El Paraíso se constituye en el escenario de la primera infancia del hombre. Es un espacio perfecto, situado entre ríos y separado del resto de la tierra. En un lugar semejante encontramos al protagonista de *El licenciado Vidriera*, otorgando a la novela un significado simbólico desde el principio. El narrador comienza con estas palabras: «Paseándose dos caballeros estudiantes por las riberas de Tormes, hallaron en ellas, debajo de un árbol durmiendo, a un muchacho de hasta edad de once años, vestido como labrador»[4]. El sueño del muchacho representa el tiempo de la niñez. La infancia es el momento de la inocencia y de la espontaneidad, el tiempo en el que se disfruta de la completa unidad consigo mismo y con todo lo que nos rodea. Al mismo tiempo la infancia se configura en el recuerdo de lo que nosotros fuimos una vez, de la perfecta vida que vivimos en el pasado, de la armoniosa unidad que gozamos. Sin embargo, después del sueño inocente del muchacho se produce un cambio con el nuevo despertar. Cuando acabó nuestra inocencia fuimos expulsados del Paraíso. El narrador nos cuenta el momento de la niñez perdida en este preciso momento: «Despertó, y preguntáronle de adónde era y qué hacía durmiendo en aquella soledad»[5]. El despertar implica un nuevo comienzo. De las sombras del sueño a la luz del sol, de la estancia en el Paraíso a la expulsión en la tierra habitable, de la soledad al contacto con los demás, de la beatitud de la infancia al desasosiego de la juventud. La existencia va pasando ante el muchacho como el río. Al perder la inocencia de la infancia, el joven recibe el don de la libertad de elección. El personaje, que ha abandonado la casa de sus padres, tiene la posibilidad de comenzar la vida por

---

[3] Sigo la lúcida explicación que nos ofrece Rüdiger Safranski en *El mal*, pp. 21-28. De sus páginas entresaco estas palabras: «La historia del pecado original muestra al hombre como un ser que tiene ante sí una elección, que es libre. Por ello el hombre tal como procede de las manos de Dios, en cierto modo está todavía inacabado, no está fijado todavía. [...] La historia del pecado original narra cómo el hombre se hace a sí mismo en una elección originaria que se repite siempre de nuevo, narra cómo el hombre tenía que elegir y luego hizo una falsa elección, seducido por la aspiración a traspasar los límites de una prohibición», 2010, p. 24.

[4] Cervantes, *Novelas ejemplares*, p. 265.

[5] Cervantes, *Novelas ejemplares*, p. 265.

sí mismo. Con el despertar inicia el camino de la autodeterminación. Dotado de una voluntad libre, acomete su propio destino. La situación inicial en que encontramos al personaje cervantino es muy semejante a la descrita por Johann W. von Goethe cuando explica el significado del Paraíso: «Aquí entre cuatro ríos concretos, un espacio pequeño y muy agradable quedaría segregado de toda la tierra habitable para construir el escenario de la infancia del hombre. Aquí desarrollaría sus primeras habilidades y también caería sobre él la suerte que estaba destinada a toda su descendencia: perder el sosiego por aspirar al conocimiento»[6]. La inocencia paradisíaca queda atrás cuando comienza la aventura del conocimiento. El niño inocente se transforma en un joven desasosegado debido a su elevada aspiración. Fuera del Paraíso la vinculación con el mundo es problemática. Pero el joven no cejará en su empeño de aspirar al conocimiento a pesar de perder el sosiego[7].

Efectivamente, cuando abandona la casa de los padres y sale del Paraíso del sueño, los objetivos vitales del joven están muy claros: «iba a la ciudad de Salamanca a buscar a un amo a quien servir, por solo que le diese estudio»[8].La obtención del conocimiento ha sido percibida desde siempre en todas las culturas como un viaje o como un progreso. El aprender debe seguir un camino, depende de encuentros con otros seres humanos y de la visita a diferentes lugares, convirtiendo el recorrido en una experiencia real que vaya conformando la propia personalidad.[9] El

---

[6] Goethe, *Poesía y verdad*, p. 143.

[7] «Cuando la conciencia de la libertad entra en juego, la inocencia paradisiaca queda atrás. Desde ese momento existe el dolor originario de la conciencia. La conciencia ya no se agota en el ser sino que lo rebasa, pues ahora contiene posibilidades, un horizonte sumamente seductor de posibilidades. [...] Esta libertad aún no incluye el hecho de que el hombre conozca también lo que le corresponde. El problema está en que el conocimiento todavía no se halla a la altura de la libertad. Pero el hombre aprenderá, y aprenderá también a través de los fracasos», según nos explica Rüdiger Safranski, 2010, p. 22.

[8] Cervantes, *Novelas ejemplares*, p. 265.

[9] Como apunta Alan K. Forcione «as a tale probing the mysteries of knowledge, *El licenciado Vidriera* exploits the age-old association of wandering and curiosity and incorporates the type of pilgrimage which is familiar in wisdom literature in all ages», 1982, p. 232; para observar la asociación que establece Cervantes con Odiseo y Calipso, y es que «the myth points clearly to the illicit nature of his curiosity and to the power of knowledge as a diabolical temptation», 1982, p. 235. Elias Canetti escribe sobre el aprendizaje humano estas sugerentes palabras en un apunte: «El aprender debe seguir siendo una aventura, de lo contrario habrá nacido

conocimiento es el impulso que da sentido a la vida del joven. Para él no existe la duda, todo está claro. Desea esforzarse para llegar a la Universidad de Salamanca, primera etapa para alcanzar la meta. Sin embargo, desde el principio notamos en la seguridad de los propósitos un posible desajuste. La intención de conocer del hijo de labradores no se corresponde con los verdaderos objetivos que debe tener el conocimiento. Me permito anotar como un inciso que la ironía socrática de la frase «solo sé que no sé nada» no ha entrado en la cabeza de Tomás Rodaja. El joven está demasiado seguro en las afirmaciones para tener dudas. Parece excesivamente serio para comprender la ironía que encierran las palabras de Sócrates. Además, es muy orgulloso para comprender los límites del conocimiento humano. Desde la antigüedad griega sabemos que son necesarias la humildad y la duda para iniciarse en el conocimiento. También era notorio que el conocimiento de sí mismo es fundamental. En esta dirección se debería dirigir el aspirante. El pretendiente al conocimiento puede llegar a descubrir el comportamiento conveniente examinándose, con el objetivo de elaborar desde la experiencia propia una conducta que le dirija hacia el bien. Aquí me permito introducir a Michel de Montaigne que recordaba la enseñanza de los griegos con estas palabras: «La advertencia de que cada cual se conozca, ha de ser de gran trascendencia, puesto que aquel dios de ciencia y de clarividencia lo hizo poner en el frontal de su templo, como si comprendiera todo cuanto había de aconsejarnos. Platón dice también que la prudencia no es sino el cumplimiento de esta ordenanza»[10]. La necesidad de conocerse es imprescindible y mantiene una estrecha relación con la prudencia.

Sin embargo, el joven Tomás Rodaja desea asistir a la universidad con el propósito de adquirir el máximo conocimiento para alcanzar la fama. Por esta razón no quiere dar a los caballeros el nombre de los padres o el de la patria «hasta que yo pueda honrarlos a ellos y a ella». Cuando le preguntan cómo lo hará, responde con certeza absoluta: «con mis

muerto. Lo que aprendas en el momento deberá depender de encuentros casuales y deberá continuar así, de encuentro en encuentro, un aprendizaje en metamorfosis, un aprendizaje en el placer», en *Apuntes*, p. 109.

[10] Montaigne, *Ensayos. Vol.* III, p. 349. Imre Kertész apunta que cuando el ser humano toma conciencia de sí mismo puede comenzar a vivir su propia vida. «La simiente del genio está en todas las personas. Pero no toda persona es capaz de convertir su vida en su propia vida. La verdadera genialidad es la genialidad existencial. Me atrevería a calificar de inútil casi todo el saber que no fuera un saber directo sobre nosotros mismos», en *Diario de galera*, p. 16.

estudios siendo famoso por ellos»[11]. No concibe el conocimiento como una manera de conocerse para ser una persona prudente, o no estudia con la intención de descubrir un sentido a la existencia que pueda ayudarle a vivir con los demás. El joven no sabe que puede confundirse en el camino si se pierde a sí mismo, o que las aspiraciones pueden ser exageradas. Él quiere destacar por encima de todos, desea ser superior a los demás hasta llegar a disfrutar de la fama. Los estudios le convertirán en persona famosa. En esta ambición del personaje percibimos una falta debido a su orgullo personal. Quiere ir más allá, quizás traspasar los límites. No ha empezado a aprender y su aspiración es la fama. Desde ahora, comienza a perder el sosiego por su aspiración sin límite. La altanería del personaje respecto a los demás denota un comportamiento soberbio. Quien se sitúa por encima de los otros tiene que bajar después a la tierra para asumir el destino común de los hombres, si no lo hace corre el riesgo de despreciar fácilmente al prójimo. La búsqueda de la fama es un orgullo peligroso porque le separa de los demás. Además, la fama le aleja de las intenciones del hombre prudente. Erasmo de Rotterdam formula claramente esta opinión: «Nada más insensato que una sabiduría a destiempo [...]. Es signo del hombre prudente, como mortal que es, no querer una sabiduría superior a su condición humana común, estar dispuesto a hacer la vista gorda, y a reírse de sus desaciertos con todos los demás»[12]. Es la lección de Erasmo, y creo que también se percibe esta advertencia en el acercamiento a la vida de Cervantes. El aprendizaje se debe realizar en el placer, sabiéndonos reír de nosotros mismos y divirtiéndonos con los demás, conscientes de ser más inteligentes y más ignorantes que otros según la ocasión, no estando nunca completamente seguros. Es así como demostramos una mirada comprensiva hacia la vida y de esta manera somos prudentes con los demás[13].

Tomás Rodaja, como todo personaje cervantino, manifiesta su voluntad de elección y construcción vital. Es la odisea del conocimiento

---

[11] Cervantes, *Novelas ejemplares*, p. 266.

[12] Erasmo de Rotterdam, *Elogio de la locura*, p. 70.

[13] Fernando Pessoa nos ofrece estas sugerentes palabras sobre la necesidad de la ironía en nuestra conducta: «El hombre superior se distingue del hombre inferior y de sus hermanos animales por la simple cualidad de la ironía. La ironía es el primer indicio de que la consciencia se hizo consciente. Y la ironía atraviesa dos etapas: la etapa marcada por Sócrates, cuando dijo "sólo sé que no sé nada", y la etapa marcada por Sanches, cuando dijo "ni siquiera sé si no sé nada"», en *Libro del desasosiego*, p. 165.

la que da sentido a su existencia y la que le permitirá confirmar su identidad al final del camino. Ahora bien, en todo viaje existe la posibilidad de llegar a la meta; pero, también, hay la probabilidad de descubrir los límites propios, debido a las largas dimensiones del camino y a la eventualidad de perderse por elegir los senderos equivocados. Como él deseaba, la primera parada de Tomás es la universidad de Salamanca. En esta ciudad nos informa el narrador que el joven pasa ocho años estudiando leyes, aunque como señala: «en lo que más se mostraba era en letras humanas; y tenía tan felice memoria, que era cosa de espanto; e ilustrábala tanto con su buen entendimiento, que no era menos famoso por él que por ella»[14]. Es el primer periodo de formación del personaje a través del estudio. Todavía no adivinamos cómo va a usar el saber de las letras humanas en la vida. Pero sí sabemos que en él destacan memoria y entendimiento, dos facultades que se necesitan manejar con cuidado cuando están al servicio del conocimiento. De nuevo regreso a Michel de Montaigne como guía cuando avisa de los posibles peligros del saber y de la memoria:

> Amo y honro el saber tanto como aquellos que lo poseen; y, usándolo bien, es la más noble y poderosa adquisición de los hombres. Mas en aquéllos (y son número infinito) que basan en él su merito y valor fundamental, que confunden el entendimiento con la memoria, «*sub aliena umbra latentes*», ya nada pueden si no es con un libro, ódiolo, por así decirlo, más que la necedad[15].

Es necesario usar bien el saber en la vida. Y esto no es fácil cuando el individuo tiene como único objetivo el conocimiento de los libros que estudia en la universidad. La memoria puede dominar al entendimiento ofreciendo una visión libresca del mundo hasta llegar a convertir el saber en una necedad. El libro puede ocupar el espacio de la vida transformando el saber en una necedad insoportable. En su estancia en la universidad la vida de Tomás Rodaja está consagrada al estudio, que se ha convertido en la única pasión. Los libros le exigen llevar una vida aislada, ya que desea perseverar tenazmente en su empresa. El joven vive despreocupado de los demás, no se relaciona con los otros porque su mundo son los libros. También se distingue del resto por la exagerada

---

[14] Cervantes, *Novelas ejemplares*, p. 267.
[15] Montaigne, *Ensayos. Vol. III*, p. 174.

memoria que le permite tener lo que lee en la cabeza. Pero, quizás, esta visión libresca le impide mirar lo que ocurre a su alrededor, comunicarse con los demás seres humanos. Tomás puede tener una memoria llena de libros y, sin embargo, carecer de una memoria para las experiencias personales. Notamos que durante los años en la universidad su experiencia social debe haber sido poca por haber estado centrado en el estudio. Posee una memoria intelectual, pero le falta una memoria social. Esta deficiencia se constituye en una imperfección porque le resultará difícil funcionar en la sociedad. Constatamos, así, que la futura locura brota del aislamiento esencial del personaje. La aspiración al conocimiento encierra al personaje dentro de sí mismo. El aislamiento se constituye en el germen de futuros malentendidos de comunicación con los demás.

Las letras humanas tienen que estar aplicadas a la vida. Los libros deben ayudar a relacionarnos con los otros. El saber es fundamental para entender la riqueza del mundo. Sin embargo, como apunta Michel de Montaigne, y vamos observando también en el personaje cervantino, existe el peligro de convertir el saber en necedad, de que el saber conduzca al individuo a tan exagerado extremo que le lleve a la locura. La constatación de que la locura brota del estudio de las letras y del orgullo era común entre los humanistas. Petrarca nos la ofrecía con estas palabras: «Pues las letras son para muchos una fuente de locura, y de orgullo para casi todos, a no ser que por ventura penetren —y ello es raro— en un alma buena y bien preparada» y concluía que si las letras «vienen solas, únicamente sirven para envanecer y destruir, sin edificar nada; son una cárcel resplandeciente, una penosa ocupación y una estrepitosa calma para el alma»[16]. El humanista italiano formula con claridad el peligro que tiene para el individuo enjaularse en la cárcel de letras, convirtiendo el aislamiento a que llevan las letras en germen de la locura[17].

---

[16] Petrarca, *Obras I. Prosas*, p. 167 y p. 170.

[17] En tiempos más recientes Albert Camus manifestaba necesario considerar como perpetua referencia «el desfase constante entre lo que nos imaginamos saber y lo que sabemos de veras, el consentimiento práctico y la ignorancia simulada que consiguen que vivamos con ideas que si las sintiéramos realmente, deberían trastornar nuestras vidas»; y concluye que en su tiempo «con excepción de los racionalistas profesionales, hoy desesperamos del verdadero conocimiento. Si hubiera que escribir la historia del pensamiento humano, sería la de sus arrepentimientos sucesivos y sus impotencias», en *El mito de Sísifo*, p. 31.

Tomás Rodaja decide irse de Salamanca para completar su aprendizaje en Italia, Flandes y otras tierras extranjeras. Él mismo nos dice que «las luengas peregrinaciones hacen a los hombres discretos»[18]. Semejante pensamiento expone Auristela en el *Persiles*: «Mi hermano Periandro es agradecido como principal caballero y es discreto como andante peregrino: que el ver mucho y el leer mucho aviva los ingenios de los hombres»[19].El estudio de los libros se complementa con el viaje a tierras extranjeras. Los libros proporcionan el conocimiento de las letras humanas, mientras que el viaje ofrece la experiencia de otros lugares y la comunicación con diferentes personas. El viajero no debe conformarse con ver y admirar las famosas ciudades, sino que tiene que entrar en contacto con el lugar y con los habitantes. Viajar enseña a mirar con atención la vida que bulle. El contacto le hará más sabio. Con las siguientes palabras explicaba Fernando de Herrera la meta del viaje para el sabio: «Dice Estrabón en el libro I que los poetas mostravan que los éroes eran singularmente sabios porque peregrinavan por muchos lugares atravessando largos caminos, porque ponen por lo más principal ver las ciudades de muchos ombres i conocer la prudencia dellos» [20]. Conocer las ciudades para descubrir la prudencia de los hombres. De manera semejante al poeta español se expresaba Michel de Montaigne a quien el viajar le parece una actividad provechosa: «y no conozco mejor escuela para formar la vida que el proponerle sin cesar la diversidad de tantas otras vidas, ideas y costumbres, y hacerle gustar una tan perpetua variedad de nuestra naturaleza»[21]. El objetivo del viaje son los hombres, aprender la diversidad para descubrir el destino común que nos une. El viajero atraviesa distintas ciudades y se confronta a seres diversos para ir descubriendo la propia verdad. Al explorar el mundo, el viajero se va descubriendo a sí mismo. Es en el contacto con los hombres, en la comunicación con los otros, como se aprende a ser prudente[22].

---

[18] Cervantes, *Novelas ejemplares*, 269.

[19] Cervantes, *Persiles*, p. 187.

[20] Fernando de Herrera, *Anotaciones a la poesía de Garcilaso*, p. 299.

[21] Montaigne, *Ensayos. Vol. III*, p. 228.

[22] José Antonio Maravall señalaba que «el siglo XVII insiste en presentar la condición viajera como una cualidad intrínseca de la vida humana», y apuntaba que el valor educativo del conocimiento directo de otros países es un tema que «desde Furió Ceriol se había introducido en España, tema que en el Barroco se potencia y se presenta en términos que preludian el *grand tour* de los ilustrados», 1987, p. 255. Paul Zumthor, 1994, expresa el significado del viaje con estas palabras: «El viaje

Tomás Rodaja visita las más importantes ciudades italianas y en ellas, como hizo en Roma, «todo lo miró y notó y puso en su punto»[23].El viajero se ha convertido en un espectador. Mira y anota los lugares que visita, de la misma manera que lee y anota un libro para memorizar. Sin embargo, el lugar no le habla. No existe el encuentro. Parece que el viaje es estéril porque el personaje no se ha introducido en el lugar para comprenderlo, ni tiene intención de comprender a los habitantes. Observa los monumentos, pero no se ha acercado a los hombres. Recorre las ciudades, pero no se relaciona con los demás. No tiene una experiencia real que le ayude a conformar la propia identidad desde la comunicación. El encuentro con otros lugares —y con quienes en ellos viven— no ha sido muy fructífero en la obtención de conocimiento. Esta falta de provecho en el viaje sucede cuando el individuo se aísla y no se comunica. Desde el aislamiento no es posible el cambio. Este defecto en el viajero era observado por Séneca que se lo recordaba a Lucilio con las palabras del más sabio: «lamentándose alguien a Sócrates de no haber sacado ningún provecho de sus viajes, dicen que le contestó: "No sin motivo te ha sucedido así, porque viajabas contigo mismo"»[24]. El viaje es comunicación, no aislamiento. El joven Tomás, habiendo visto lo que él quería, regresa a Salamanca. Así nos cuenta la vuelta el narrador: «Y habiendo cumplido con el deseo que le movió a ver lo que había visto, determinó volverse a España y a Salamanca a acabar sus estudios»[25].Conocer requiere tiempo, el viajero necesita detenerse en un lugar y con lentitud comunicarse con los habitantes. Tomás ha visto lugares y los ha anotado en la memoria, pero se ha mantenido en su aislamiento. Así la realidad se convierte en impenetrable, él no se siente implicado. No ha tenido una experiencia real con los hombres que le ayude a conocer 'la prudencia' de los demás y le convierta a él en 'discreto'. Y la discreción es una cualidad necesaria ya que el discreto «es el hombre cuerdo y de buen seso, que sabe ponderar las cosas y dar a cada una su lugar», como apuntaba Sebastián de Covarrubias. Cuando

pone en marcha nuestra capacidad para cruzar un límite, para afrontar una alteridad. La idea (tanto como el hecho mismo) del viaje manifiesta nuestra tendencia innata al desplazamiento, da una perspectiva a esta movilidad que es la primera conquista espacial del niño; perspectiva que es la de un deseo de conocimiento», p. 163.

[23] Cervantes, *Novelas ejemplares*, p. 273.
[24] Séneca, *Cartas morales a Lucilio*, p. 366.
[25] Cervantes, *Novelas ejemplares*, p. 275.

el perro Berganza hablaba de los romancistas que en sus conversaciones sueltan el latín, su compañero Cipión le responde que «hay algunos que no les excusa el ser latinos de ser asnos», para rematar con el siguiente consejo: «Para saber callar en romance y hablar en latín, discreción es menester, hermano Berganza»[26]. Si falta la discreción el individuo pierde el sentido y se convierte en un necio o en un loco. Y la discreción se consigue en la comunicación con los otros que le descubren la relación y el destino común. En el aislamiento Tomás pierde el significado de su vida y se va perdiendo en el camino para ir acercándose a la locura[27].

En la *Odisea*, Circe transforma en cerdos a los hombres. Calipso retiene a Odiseo, hombre activo y lleno de energía, durante siete años sentado a orillas del mar llorando por su tierra. El deseo de Adán de tener una compañera acaba en la fatalidad de la expulsión del Paraíso. Ellas representan a la mujer como un elemento perturbador. Y Tomás Rodaja se va a encontrar con esta mujer 'perturbadora' en su regreso a Salamanca. Una dama de «todo rumbo y manejo» se enamora de nuestro protagonista. Él ni siquiera quiere oír hablar de ella, menos aún visitar su casa. Desde un principio el joven percibe a esta dama como la proximidad de un desastre. Toma conciencia del peligro y, además, rechaza completamente la posibilidad de amarla. Tomás es un personaje metido dentro de sí mismo, demasiado orgulloso para que la telaraña del amor pudiera satisfacerle. Solo se concede la pasión del conocimiento. Lleva una vida austera consagrada al estudio. Vive solo y despreocupado de los demás. Su mundo son los libros. Para obtener conocimiento se exige rigor consigo mismo, de esta manera podrá cumplir el objetivo de llegar a la fama. Cuando le hablan de la mujer, él la percibe como un elemento desestabilizador; por eso no quiere nada con ella. Ni siquiera siente deseos de verla, porque él no se entretiene en descuidos: «Y él sin echar de ver en ello, si no era por fuerza y llevado de otros; no quería entrar en su casa». Ella le ofrece todo lo que tiene, amor y dinero, «pero como él atendía más a sus libros que a otros pasatiempos, en ninguna manera

---

[26] Cervantes, *Novelas ejemplares*, p. 318.

[27] De opinión muy distinta es Stanisnav Zimic para quien «el viaje de Tomás revela, pues, sus múltiples intereses y su capacidad de apreciar y valorar los más diversos aspectos de la cultura italiana y europea. Estas experiencias en el extranjero lo capacitarán para contemplar a su propio país con mayor sabiduría y autoridad, con más amplia, objetiva perspectiva crítica, incontaminada por estrechas patrioterías y vacuos dogmatismos. Resaltar este hecho es probablemente la función primordial —o, en efecto, la única— del viaje de Tomás por Europa», 1996, p. 179.

respondía al gusto de la señora»[28]. De nuevo, apreciamos la incapacidad de relacionarse de Tomás Rodaja. La imposibilidad de acercarse a la mujer refleja su ineptitud para comunicarse con la vida de los demás[29].

Tomás Rodaja vive fuera del espacio de la vida. Para él no existen la amistad y el amor, ya que no puede comprenderlos. Se aleja de la vida compartida y se aísla consigo mismo. En esta situación de aislamiento vital carece de la experiencia común necesaria para conocer. En su camino Tomás va eliminando todos los estorbos que no son esenciales para la obtención del conocimiento. Acomoda la conducta al objetivo vital, el conocimiento ordena la actuación. Sin embargo, como toda aventura, la del conocimiento tiene también sus peligros. Tomás pese a las precauciones y a su aislamiento no se librará de ellos. La dama, aconsejada por una morisca, para conquistar la voluntad de Tomás le dio «un membrillo toledano» que enferma al joven. Después de algún tiempo sanó del cuerpo, pero no del entendimiento. Alcanza la locura que le lleva a pensar que «él no era como los otros hombres, que todo era de vidrio de pies a cabeza»[30]. Llegamos así a una representación de la locura que está íntimamente relacionada con la vida pasada del personaje[31]. La suya es una cabeza libresca sin el corazón del mundo. Y recuerdo que es en el corazón donde se encierran las verdades fundamentales: el amor, el dolor, la muerte. La locura surge del aislamiento esencial del personaje, de la soberbia que le lleva a creer que es posible alcanzar el conocimiento, de la búsqueda de la fama que

---

[28] Cervantes, *Novelas ejemplares*, p. 276.

[29] Luis Rosales, 1960, lo explicaba de esta manera: «Tomás Rueda no se vincula a nada. Tomás Rueda no comprende el amor, ni siquiera en su forma más usuaria e instintiva. Tomás Rueda no comprende la amistad. Tomás Rueda no siente la voluntad de poderío: no le interesa la vida cortesana. Tomás Rueda no se liga al agradecimiento. Tomás Rueda no conoce la existencia del prójimo», 1960, p. 205. De muy contraria opinión es Stanislav Zimic: «Patentemente absurdo resulta culparle a Tomás Rueda de 'no comprender el amor', de transgredir contra 'la armonía humana' y hasta de pecar contra 'la ley divina del amor', por no corresponder al 'gusto de la señora' que se apasiona de él», p. 182.

[30] Cervantes, *Novelas ejemplares*, p. 277.

[31] Así lo explica Alban K. Forcione: «The offer of the fruit to the curious student that follows may make little sense in the context of contemporary treatises describing causes and symptoms of *insania melancholicorum*, but in Cervantes's tale it is a most coherent and effective climax to a series of motifs associating education and demonic temptation that are sounded from the beginning of the tale. Indeed both parts of the protagonist's education are imaginatively linked with such temptation», 1982, p. 239.

le conduce a extremar su comportamiento. La locura se convierte en un símbolo de la ambición humana que aspira al conocimiento olvidándose de los límites. Desde ahora, Tomás Rodaja cree que es de vidrio, se separa aún más de los otros y se encierra en sí mismo. El personaje ahora se siente solo, lejos de los demás y enfrentado a ellos por el lenguaje. Tomás Rodaja se ha excedido en su ambición, ha seguido los caminos equivocados en su aventura.

Es necesario limitar el conocimiento para vivir, seguir el camino que permita conocerse a uno mismo, vivir con los demás. En la locura de Tomás se representa el peligro del conocimiento. Es el castigo que también sufrieron Adán y Eva con la expulsión del Paraíso y la muerte. Cervantes aspira a exponer este fatal destino en el espejo del curso de la vida de Tomás Rodaja para que el lector reflexione sobre el verdadero sentido del conocimiento. Solo podemos conocer dentro de las fronteras de nuestra limitación. Tomás Rodaja ha intentado crearse a sí mismo, elevarse por encima de los humildes orígenes, contentarse con el mero conocimiento y, como consecuencia, ha fracasado. Ha confiado demasiado en sí mismo. Erasmo de Rotterdam advertía que el individuo no debe confiar solamente en la propia inteligencia debido a los peligros que conlleva. Estas son sus palabras:

> Esto explica también por qué Dios prohibió al hombre comer del árbol de la sabiduría, como si el conocimiento fuera veneno para la felicidad. No es de extrañar que san Pablo repruebe la ciencia, que hincha y lleva a la perdición. Y san Bernardo es de su misma opinión cuando interpreta el *monte de la ciencia* como aquel en que Lucifer estableció su asiento[32].

Por supuesto, a pesar de la prohibición, los hombres van a seguir siendo tentados por tan ambiciosa aspiración porque creen en los frutos que pueden conseguir del 'árbol de la sabiduría'. Pero ellos son responsables de los actos, ya que disfrutan de libertad aunque sea arriesgada[33].

---

[32] Erasmo de Rotterdam, *Elogio de la locura*, p. 144.

[33] Rüdiger Safranski, 2010, comenta sobre el pasaje bíblico lo siguiente: «La prohibición divina señala al hombre sus límites. Ni puede hacerlo todo, ni saberlo todo. ¿No es lícito o no puede? No puede, porque al final no logra alcanzarlo. Y no le es lícito porque con ello se daña a sí mismo. El hombre no ha de querer saber demasiado, ha de saber lo que le corresponde. Y tampoco ha de querer verlo todo; tiene que respetar algunas cosas ocultas», p. 26. Dentro de este contexto Alban K. Forcione, 1982, formula: «we discern in the action of *El licenciado Vidriera* a coherent

Tomás Rodaja se convierte en el Licenciado Vidriera. El aislamiento es esencia de su carácter. Es por esto que cuando comienza a actuar como loco, a los que a él se quieren aproximar «decía que le hablasen desde lejos y le preguntasen lo que quisiesen, porque a todo les respondería con más entendimiento por ser hombre de vidrio y no de carne»[34].La locura es una imagen verosímil del camino intelectual que ha recorrido Tomás Rodaja. El personaje ha perseverado tenazmente en su propia esencia, con lo que no ha podido cambiar y ha permanecido idéntico a sí mismo. Los nombres que va adquiriendo en las tres etapas de su vida indican un cambio en el proceso de conocimiento. El Licenciado cree saberlo todo, pero ha aprendido poco de sí mismo, del hombre y de la vida. En su aventura no se ha hecho la pregunta más seria: ¿qué es necesario conocer? Petrarca le hubiera proporcionado la siguiente cuestión para empezar el camino: «Porque dime, ¿de qué nos sirve conocer la naturaleza de fieras, aves, peces y serpientes e ignorar o menospreciar en cambio, la naturaleza del hombre, sin preguntarnos para qué hemos nacido ni de dónde venimos ni a dónde vamos?»[35]. Las preguntas se refieren a la existencia y a la personalidad. Un conocimiento de sí mismo es indispensable para vivir en sociedad. El conocimiento que Tomás ha adquirido no solo no le ayuda a cambiar como persona, sino que tampoco le permite acercarse a los demás. Es más, cree haber alcanzado una superioridad respecto a los que le rodean. Quería destacar por encima de todos, y ahora cree que es superior. No es como el común de las gentes, es de vidrio. Como Licenciado se siente en hostilidad con los otros, y la soberbia le lleva a pensar que puede responder todas las preguntas. Ha carecido de la generosidad para amar y de la humildad necesaria para conocer al hombre. El conocimiento que debería ser comunicación y amistad, se convierte en hostilidad y enfrentamiento. El licenciado Vidriera es un loco enfrentado a la sociedad. El aislamiento es completo[36].

background of archetypal symbolism that emphasizes that the protagonist's transformation must be viewed in moral terms as a fall and that his fall must be connected with his acquisition of knowledge. In the sharp outlines uniting its major events, the story assumes the shape of a parable of knowledge», p. 240.

[34] Cervantes, *Novela sejemplares*, p. 277.

[35] Petrarca, *Obras I*, p. 168.

[36] Edward C. Riley, 2001,señala que el Licenciado es un «cínico melancólico», p. 224, que mantiene semejanzas con Diógenes de Sínope debido a la actitud vital y social, ya que como él se aparta de la sociedad, hace una crítica lacerante, las

El entendimiento y la memoria que gozaba el joven, se transforman en una cabeza libresca en el adulto. La parte central de la novela está compuesta de apotegmas y dichos muy conocidos, que el Licenciado usa contra las personas que se dirigen a él. Estos apotegmas expresan también el esencial aislamiento y el egocentrismo del personaje. La prepotencia se arroga el derecho de hacer justicia. Con sus palabras el licenciado Vidriera se dedica a criticar a la sociedad, a los individuos y los diferentes oficios de la época. La locura se convierte en un azote contra las personas que encuentra en su camino, a ellos se dirige para descubrir sus deformaciones y para atacar aspectos fundamentales de su vida. Parece que el Licenciado goza con la crítica y el ataque. En las palabras manifiesta la superioridad, con ellas expresa desprecio y burla hacia los demás. El primer personaje a quien se dirige el Licenciado reacciona con las siguientes palabras: «Hermano licenciado Vidriera —que así decía él que se llamaba— más tenéis de bellaco que de loco»[37]. Le califica de 'bellaco', como «hombre malo y de ruines respetos», un nombre que incluso se daba al diablo, según leemos en la definición que da Sebastián de Covarrubias. Es decir, cuando el Licenciado pone en práctica su conocimiento de la naturaleza humana, los demás lo rechazan porque lo consideran injusto, malvado. Ellos se sienten acusados y despreciados. El licenciado Vidriera solo ve en los demás las anomalías que quiere atacar, olvidándose de lo que pueda haber de positivo. Cree que su naturaleza de cristal es muestra de un espíritu puro que le sitúa por encima de todos, lo que le autoriza a mostrar los defectos ajenos. Traspasa los límites de la crítica y degenera en el exceso del ataque. Le falta la mirada comprensiva, la comunión con los otros. Él se convierte en juez, pero es injusto en su mirada. Como consecuencia, las palabras de Vidriera sirven para levantar una barrera de incomunicación entre él y los demás. Su cabeza está poblada de apotegmas y dichos aprendidos que se corresponden con la visión libresca que tiene del mundo. Para ilustrar

costumbres y la frugalidad en el comer, depende de la caridad de los demás; y concluye: «Cervantes no emplea ningún aforismo idéntico a los atribuidos a Diógenes, es la manera y el tono lo que son iguales», p. 226. Por otra parte Luis Rosales, 1960, afirma que «como es uso y costumbre de todo buen intelectual, Vidriera es una criatura que actúa en el mundo de un modo inerme y desvalido; ama a los hombres en secreto y a solas, pero no puede resistir su presencia, se quiebra junto a ellos», para concluir líneas después que «en última instancia, su independencia, esto es, su modo de entender la libertad, es el origen de su locura», p. 190.

[37] Cervantes, *Novelas ejemplares*, p. 279.

la estupidez humana recuerda siempre la cita apropiada. Sin embargo, los que escuchan raras veces sienten la importancia de las palabras, y menos aún lo que intentan descubrir. Rehúyen al Licenciado porque lo sienten demasiado extraño y distante. En él apreciamos un conocimiento rígido y dogmático. Ha adquirido conocimiento en los libros, no en la relación con los demás[38].

Creo pertinente poner en relación la actuación de Vidriera con la imagen de algunos locos que presenta Friedrich Nietzsche. Entre las dos imágenes se mantiene una continuidad que me ayuda a ilustrar mejor el comportamiento de nuestro personaje. Así presenta a estos locos el filósofo alemán: «Hay incluso ciertos locos escogidos que se pasean siempre con un carcaj de anatemas y de sentencias sin apelación, dispuestos a fulminar a todos aquellos que den a entender que hay ciertas cosas en que su juicio no se tiene en cuenta»[39]. El loco va cargado de frases que muestran un rígido contenido de la realidad, él las lanza como flechas mortales a todos aquellos que lo interceptan en el camino con la intención de castigarlos y destruirlos. Los apotegmas y sentencias son como flechas mortales que una vez arrojadas son irrevocables. El loco desprecia a los que dudan de él, los percibe como si fueran culpables y los fulmina con la fuerza del anatema y la furia de la sentencia[40].

El Licenciado se instala en una negatividad que le sirve de muralla. La negatividad crítica lo aleja de los demás, le impide la libre relación con el mundo y lo encierra en las propias palabras. El lenguaje en vez

---

[38] Como bien explica Sybil Dumchen: «Instead of trusting the role of chance in human existence, he constantly tries to force life into his book-made patterns. Let us not forget that his specialty is *Law*, that is, an 'artificial' order. Real life experience is substituted by written, artificially-ordered knowledge. Cervantes reveals through the text that Vidriera's life has to be a failure because his cognitive processes do not depend on himself and his personal experiences, but on a learned construction which is extraneous to his self», 1989, p. 109.

[39] Friedrich Nietzsche, *El viajero y su sombra*, p. 141.

[40] Para Henry Sieber «no es posible la comunicación 'normal'; la conversación no existe porque tal actividad implica un intercambio apoyado en el discurso de lo que no es capaz Tomás. Está más marginado que antes porque ahora ven los otros que es diferente», *Vol. II*, p. 12. Por otra parte, Elias Canetti pone de manifiesto la importancia de la comunicación en el aprendizaje cuando en su autobiografía recuerda los años en el colegio y a alguno de los maestros, y apunta: «el saber que se manifiesta comunicándose con los demás es el saber bueno: busca la atención de los demás, pero no se vuelve contra nadie. El contagio que proviene de los libros y de los profesores tiende a difundirse», *La lengua absuelta*, p. 258.

de servir para comunicarse contribuye a aislarlo, lo atrapa como si fuera una cárcel. Los dichos provocan rechazo y malos entendidos. Los apotegmas se convierten en una jaula que no le deja ver lo que contiene el mundo, entender lo que le rodea, gozar de una visión placentera de las cosas, disfrutar de la alegría de la vida. Las palabras chocan constantemente con la realidad y con los demás. La vida del Licenciado se encuentra aprisionada por las palabras que tienden fácilmente al dogmatismo. Encerrado en sí mismo, el conocimiento se convierte en una prisión. En el proceso de conocimiento que nos presenta Cervantes en esta novela, la etapa como licenciado Vidriera se convierte en una metáfora del intelectualismo dogmático. De ese intelectualismo que no sirve para establecer una comunicación entre los seres humanos. Por eso vemos a Vidriera aislado de todos, acompañado por un guardián para que no lo maltraten: «no se pudiera defender de los muchachos si su guardián no le defendiera»[41]. El conocimiento soberbio impide la fraterna igualdad. La soberbia de su propósito ha convertido lo que debería ser un puente de comunicación en una muralla de incomunicación y de hostilidad. Él acusa a los hombres, pero no se siente partícipe del mundo. Juzga sin sentir ninguna compasión. Los otros se defienden y lo atacan porque no aceptan el ajusticiamiento[42].

Después de dos años de locura, o un poco más, Vidriera recupera la cordura. Un religioso «le curó y sanó, y volvió a su primer juicio, entendimiento y discurso»[43]. Desde este preciso momento, la intención del Licenciado es integrarse en la sociedad. Ya no es el licenciado Vidriera sino que se transforma en el licenciado Tomas Rueda. Se ha dado cuenta de que no es un ser especial, situado por encima de los demás, sino una

---

[41] Cervantes, *Novelas ejemplares*, p. 299.

[42] Es aquí donde el licenciado Vidriera se asemeja al escritor satírico, ya que se comporta como un despreciador del género humano y de la realidad. Estos escritores, dice Elias Canetti, «arremeten contra grupos enteros de hombres, pero también atacan a individuos aislados con un odio que, en otras circunstancias —si no fueran capaces de escribir, por ejemplo—, los conduciría forzosamente al crimen», en *La conciencia de las palabras*, p. 321. Vidriera es un personaje colérico, y la cólera está en su mirada al mundo, como en los satíricos. Como afirma Edward C. Riley: «su locura le arrastra a la acción y se convierte en una especie de autoridad ambulante. Más tarde, al recobrar el juicio se propone ejercer la abogacía; pero de lo único que había sido capaz era de satirizar, criticar y ladrar a las personas por sus defectos, como el cínico que era en esencia y en cuanto dejó de divertir a la gente, le volvieron la espalda», 2001, p. 232.

[43] Cervantes, *Novelas ejemplares*, p. 299.

persona común que quiere disfrutar de la libre relación con el mundo. Es un gran avance hacia el conocimiento de sí mismo. La humildad y la duda entran a formar parte de su carácter. Ahora se encuentra en condiciones de examinarse para alcanzar un comportamiento conveniente con los demás. La aceptación de uno mismo como una persona común es el primer paso para acercarse al verdadero conocimiento. De nuevo, me permito regresar a Michael Montaigne para ilustrar esta idea. El ensayista francés habla de sí mismo: «Yo no soy más que un hombre vulgar. Es precepto saludable, cierto y fácil de entender». La fraterna igualdad es precepto necesario porque permite vivir con alegría en comunión con los demás. Por esta razón, una página después cuando Montaigne se acerca al verdadero sentido del saber recuerda sobre los preceptos que nos distraen de nuestra condición humana y no son sino vanidad: «Y esos hermosos preceptos son vanidad, y vanidad es toda sabiduría [...]. Es la vida movimiento material y corpóreo, acción imperfecta por su propia esencia, y desordenada; aplícome a servirla según es»[44]. El conocimiento puede convertir al sabio en fatuo y vanidoso. Sabios con la memoria llena de preceptos, como el Licenciado de apotegmas y dichos, pero que no saben aplicarlos a la vida. La vanidad nos separa de todos, y poco a poco nos aleja de toda posibilidad de amor. Si cedemos a las vanidades, nos alejamos de la autenticidad de la vida, abandonamos lo verdadero. Lo que cuenta es el ser humano que se adapta a la vida, que es vulgar o simple como la vida es imperfecta. Montaigne se ha propuesto llevar una existencia de 'hombre vulgar' y amar la vida con sus imperfecciones. Como hombre humilde no quiere aislarse del mundo, sino que desea ponerse en contacto y desarrollarse con los demás. Y este es el camino que desea seguir Tomás Rueda.

Después de tantos esfuerzos desmesurados para alcanzar el conocimiento, el personaje cervantino acepta sus propios límites. La soberbia del joven se transforma en la humildad del adulto después de atravesar la locura. Tomás Rueda quiere ser una persona normal, 'un hombre vulgar'. Sin embargo, el recuerdo de su pasado imposibilita la relación con los demás. Aquellos que lo reconocen siguen acercándose a él como si todavía fuera el loco Vidriera. Rodeado de numerosas personas, que lo persiguen y acosan, el transformado Rueda se dirige a ellos para reivindicar su nueva identidad con estas palabras: «Señores, yo soy el licenciado Vidriera, pero no el que solía. Soy ahora el licenciado

---

[44] Montaigne, *Ensayos. Vol. III*, p. 247.

Rueda...»[45].Después de haber pronunciado tantos apotegmas, después de haberse convertido en un látigo, ya no tiene nada que decir. La sociedad no muestra predilección ni diligencia con un personaje proclive a evidenciar las faltas y deficiencias de las personas y de los oficios. La afirmación de la nueva identidad no tiene ningún efecto en quienes lo escuchan. Cada vez que habla, los demás perciben las mismas palabras que decía como loco. Si la sociedad, cuando era el licenciado Vidriera, no había soportado sus revelaciones y había cerrado los oídos, ahora simplemente no tiene interés en escucharlo y, por lo tanto, no puede creer en el cambio del personaje. Todos se muestran indiferentes a las palabras del licenciado Rueda. Él insiste en afirmar su nueva identidad. Quiere vivir entre los demás mostrando su conocimiento. Sin embargo, ya todo lo que haga es inútil, su pasado lo aprisiona. El Licenciado no tiene sitio entre los demás. El narrador nos lo cuenta así: «Salió otro día, y fue lo mismo; hizo otro sermón, y no sirvió de nada. Perdía mucho, y no ganaba cosa, y viéndose morir de hambre, determinó de dejar la corte»[46]. El conocimiento adquirido no le ayuda a vivir entre los demás. Las palabras lo enjaularon y el recuerdo de ellas lo aprisiona. Aislado de todos, ahora Rueda no soporta la soledad. Incapaz de evitar el constante acoso decide alejarse[47].Como no puede vivir en la Corte

---

[45] Cervantes, *Novelas ejemplares*, p. 300. Respecto a los nombres de las personas y al hombre en sí son muy oportunas estas palabras de Imre Kermés: «El ser humano no cambia, pasa por diversos estados, y en cada estado habría que ponerle otro nombre, dando así a entender que no nos hallamos ante la persona que conocíamos en un estado anterior», en *Diario de galera*, p. 222.

[46] Cervantes, *Novelas ejemplares*, p. 300.

[47] El fracaso del licenciado Rueda ha sido interpretado de manera muy diferente. Joseph V. Ricapito apunta a razones históricas de la sociedad del siglo XVII: «Rodaja's failure is the failure of a commoner who seeks to achieve *fama* through education and the field of law, normally the passport to advancement, wealth, and position. His odyssey from poverty to mental delision and finally to death can only be viewed as he real and symbolic failure of his political and social environment, which makes the idea of economic and social advancement something of a cruel joke», 1996, p. 78. Sin embargo, para Ruth El Saffar: «The Licentiate fails both in life and letters. In life he cannot make meaningful contact with society. He has no friends outside of the intellectual community and finds only sickness and death in alternating roles. But in letters he fails also, for he cannot transform his surroundings into meaningful abstract forms. His intellectual activity is reduced to the production of only occasionally witty aphorisms. His is an unrelieved story of estrangement in which the main protagonist is shown only in roles of conflict with his environment», 1974, p. 60.

se marcha a Flandes «donde pensaba valerse de las fuerzas de su brazo pues no se podía valer de las de su ingenio»[48]. Esta huida muestra la derrota del personaje que ha querido dar sentido a su vida a través del conocimiento, pero también significa la aceptación de los propios límites. Por esta razón, el personaje termina su vida como soldado en Flandes «dejando fama, en su muerte, de prudente y valentísimo soldado»[49]. Si al principio de la novela el joven quería ser famoso por los estudios, al final ha conseguido la fama por las armas. Si el conocimiento no le sirvió para ser discreto, la vida compartida con los demás lo transforma en prudente. Si en el comienzo él quería destacar por encima de todos y su soberbia lo llevaba a querer ser superior, al final vive con los otros y muere como persona prudente. Como valiente soldado encuentra una armonía entre su existencia individual y social. Y es prudente porque cumple con la ordenanza de conocerse a sí mismo. Tomás Rueda triunfa dentro de las fronteras de su limitación[50].

En uno de los episodios de la segunda parte del *Quijote*, Cervantes muestra que el conocimiento se basa en el arte de ignorar lo prescindible. Ya Aristóteles había considerado fundamental la relación del conocimiento adquirido con la utilidad en la sociedad. Era un pensamiento muy común en la Antigüedad. Cicerón lo expresaba con claridad en estas palabras: «Ya que el conocimiento y la contemplación de la naturaleza serían en cierto modo defectuosos e imperfectos si no fueran acompañados de alguna acción. Pero la acción se manifiesta sobretodo en la defensa de los intereses comunes a los hombres, cosa que afecta a la sociedad del género humano; por consiguiente, esta sociedad hay que anteponerla al conocimiento»[51]. La educación debía proveer personas instruidas que adquirieran las capacidades necesarias para usarlas en beneficio de la comunidad. Lo que debemos conocer debe ser aprovechable en la vida, debe ayudarnos a sentirnos alegres en nuestra relación con el mundo, como individuos y como ciudadanos. Por el contrario, si

---

[48] Cervantes, *Novelas ejemplares*, p. 300.

[49] Cervantes, *Novelas ejemplares*, p. 301.

[50] Como explica Alban Forcione: «Throughout most of the tale the licentiate is a hopelessly flawed man of the intellect, but in the sudden turn of events that follows on his redemption he ironically achieves the goal that has eluded him all along. He has become the true wise man, who for Cervantes can only be a true citizen, and his death on the fields of Flanders rewards him with the fame which he had sought all along», 1982, p. 314.

[51] Cicerón, *Sobre los deberes*, p. 137.

nos alejamos de la vida y de la sociedad, convertimos el conocimiento en pura banalidad. Cervantes lo ilustra con humor en el personaje del humanista que está completamente fuera de la historia y de la sociedad[52]. Terminada la estancia de don Quijote en la casa del enamorado Basilio, el caballero andante quiere visitar la cueva de Montesinos. Lo hace acompañado de un 'famoso estudiante' que le sirve de guía. Se nos informa que el ilustrado joven imprime libros para dirigirlos a los príncipes. En el camino, don Quijote siente curiosidad por su acompañante y le pregunta por sus estudios «a lo que él respondió que su profesión era ser humanista, sus ejercicios y estudios componer libros para dar a la estampa, todos de gran provecho y no menos entretenimiento para la república»[53]. Cuando explica al caballero y al escudero cuáles son sus libros y lo que contienen, nos damos cuenta de la inutilidad de sus estudios, de la vacuidad de los contenidos y de lo innecesarios que son para la república. En uno de ellos, que el humanista considera de «grande erudición y estudio», se preocupa en averiguar quién fue el primero que tuvo un catarro o el primero que «tomó las unciones para curarse del morbo gálico». El provecho se ha convertido en entretenimiento vacuo. Hasta el inocente escudero se da cuenta de que el famoso estudiante está ocupado en averiguar necedades y en escribir disparates. En realidad el humanista ha perdido el sentido común que le debería orientar siempre en el estudio. El espacio del sentido común queda ocupado por la irreflexión. En lugar de recuperar y continuar el legado de la antigua sabiduría, ha convertido las humanidades en una completa banalidad. La falta de sentido común y el alejamiento de la realidad conducen al humanista a elegir el camino torcido. Ya no distingue entre lo provechoso y lo inútil, entre el conocimiento y la estupidez.

Cervantes parodia en este humanista el conocimiento inútil, tan alejado de la vida y de la 'república' que se convierte en un disparate. Se escriben libros que desaparecerán sin dejar rastro. Ya Séneca se había preocupado de la necedad de aquellos que pasan su vida averiguando

---

[52] Recuerdo el origen del término 'humanista' que según Paul O. Kristeller, 1993, proviene de una palabra similar a *humanismus* que «fueron términos de aplicación común, durante el siglo XVI, a quienes eran profesores, maestros o estudiantes de humanidades; tal uso siguió vivo y era bien comprendido hasta el siglo XVIII», p.39. Por supuesto, el humanista tenía siempre muy en cuenta los hitos importantes que persistían en su sociedad de la Antigüedad por la tradición o porque se consideraba universal humano; pero eliminaba el conocimiento banal e intrascendente.

[53] Cervantes, *Don Quijote de la Mancha*, II; cap. 22, pp. 811-812.

asuntos inútiles y disparatados. En una de las cartas se dirige a Lucilio para prevenirle de este conocimiento vacuo: «Tú que afearías a cualquier hombre que comprase objetos carentes de utilidad y expusiera en su casa una gran pompa de cosas inútiles, ¿no censurarías a quien se ocupase de hacer provisión de superfluidades literarias? Es una especie de intemperancia querer aprender más de lo que es necesario»[54]. Es bueno conocer, pero solamente aquello que nos ayude a llevar una vida acorde con el mundo. Dedicar nuestro tiempo a lo innecesario nos aleja de lo que es importante para vivir. Cervantes ve cómo el conocimiento se desploma en la trivialidad, en la banalización, en el sinsentido. El humanista, en lugar de escribir libros que ayuden a comprender la realidad, desea entretener con la fatuidad de los contenidos.

En *El licenciado Vidriera* Cervantes investiga la naturaleza del conocimiento. La vida de Tomás Rodaja se convierte en una metáfora. El muchacho que despierta del sueño de la infancia, se convierte en un joven que desea traspasar los límites del conocimiento. La persecución de la fama y el anhelo de sobresalir le conducen a la locura. Su cabeza está llena de apotegmas y dichos con los que puede echar en cara la estupidez humana. Los demás reaccionan ante él con hostilidad y, a veces, se burlan. Y es que el conocimiento es comunicación, no enfrentamiento. En vez de alcanzar la dicha, que le permitiera ser reconocido por los demás, el personaje se aísla y se aleja de todos. Parece que Tomás comió del árbol de la ciencia, pero no del árbol de la vida. La aventura del conocimiento de Tomás Rueda termina en un triste fracaso, casi trágico. La vida de Tomás Rodaja suscita inquietantes interrogantes, como si en ella pudiéramos descubrir el misterio del conocimiento. ¿Qué podemos conocer y hasta dónde podemos llegar? ¿Cómo adquirimos el conocimiento? ¿Qué función tiene? ¿Qué responsabilidad tiene quien lo adquiere? ¿Cómo lo valoran los personajes contemporáneos? Con la novela ejemplar el autor nos pregunta por el verdadero sentido del conocimiento. Al mismo tiempo, el humor que destila Cervantes en la

---

[54] Séneca, *Cartas morales a Lucilio*, p. 271. Después Séneca cita como ejemplo de conocimiento superfluo los cuatro mil libros que escribió el gramático Décimo «en estos libros se trata de la patria de Homero, de la verdadera madre de Eneas, de si Anacreonte era más libidinoso que beodo, de si Safo fue una mujer pública, y otras cosas que si las hubieses aprendido tendrías que desaprenderlas», p. 271. Es por esto que el filósofo romano prefiere la alabanza más vulgar «¡qué hombre tan bueno!» a la de «¡que hombre tan letrado!», p. 271.

figura del humanista nos hace sonreír por la actualidad que apreciamos. Y nos conduce a una pregunta básica: ¿qué debemos estudiar para no caer en la banalidad? La falta de sentido común nos lleva a convertir los estudios en mero entretenimiento vacuo. Por esta razón me parece pertinente recordar ahora lo que decía Hannah Arendt allá por los años sesenta al explicar la crisis en la educación: «En la actualidad, la desaparición del sentido común es el signo más claro de la crisis de hoy. En cada crisis se destruye una parte del mundo, algo que nos pertenece a todos. El fracaso del sentido común, como una varita mágica, apunta al lugar en que se produjo el hundimiento»[55].

La historia del pecado original descubre la naturaleza del hombre para mostrarnos que el ser humano es libre y puede elegir. La expulsión del Paraíso nos hizo sentir extraños en el mundo y nos dejó la angustia de que siempre nos falta algo. En el anhelo de encontrar ese algo se inicia también el viaje del conocimiento. El conocimiento puede llenarnos de plenitud, completar nuestra unidad perdida. Para Platón y Aristóteles el conocimiento era el bien supremo. Para ellos existe un conocimiento que transforma al que conoce y le conduce a la felicidad. Pero ha pasado mucho tiempo y seguimos aspirando al conocimiento y preguntándonos por el significado. Rüdiger Safranski explica de manera lúcida la permanente búsqueda con estas palabras:

> ¿A qué se debe la promesa de dicha a través del conocimiento? La razón estriba en la esperanza obvia de que, a la postre, el conocimiento conduce siempre a los fundamentos válidos que sostienen al hombre y le otorgan el sentimiento de estar en casa. El conocimiento fue concebido como una medida capaz de crear confianza. Conduce a la concordancia con el mundo[56].

La casa es una presencia permanente. La obtención del conocimiento es la nostalgia de volver al Paraíso, de encontrar nuestra casa, de alcanzar la armonía con el mundo.

En uno de los aforismos de Zürau, Franz Kafka dice que no nos expulsaron del Paraíso por el pecado original, sino que la expulsión fue un pretexto para que no comiéramos del Árbol de la vida. Desde la salida vivimos en el pecado porque no fuimos capaces de comer del Árbol de la vida. Como consecuencia, la expulsión ha creado una incapacidad en

---

[55] Hannah Arendt, 2003, p. 276.
[56] Safranski, 2010, p. 218.

el ser humano para la vida: siempre carecemos de algo. Precisamente debido a la expulsión el conocimiento se convierte en una imposibilidad porque le falta 'la vida'. Estas son las palabras del aforismo número 82: «¿Por qué nos quejamos por el pecado original? No nos expulsaron del Paraíso por él, sino para que no comiéramos del árbol de la vida». Un poco más adelante, en el aforismo 86, añade lo siguiente respecto a la capacidad de conocer: «no podemos contentarnos con el mero conocimiento, y nos sentimos llamados a actuar conforme a él. Pero no nos ha sido dada la fuerza para ello, así que por fuerza hemos de destruirnos, incluso a riesgo de no obtener ni siquiera así la fuerza necesaria, pero no nos queda otro remedio que ese último intento». Poner en acto el conocimiento nos lleva al fracaso. El hombre no ha comido del árbol de la vida, pero la vida está ahí, en el contacto con los demás, en la relación con la naturaleza. Y es aquí donde fallamos. El licenciado Vidriera se equivoca al convertir el conocimiento en un fin en sí mismo. Pues, como concluye Franz Kafka en este aforismo: «Un intento de falsear el hecho consumado del conocimiento, convertir el conocimiento en un fin en sí mismo»[57].

---

[57] Franz Kafka, *Aforismos*, pp. 42-43.

CAPÍTULO 3

EL DESEO

> Al menos en el libertinaje hay algo constante,
> incluso fundamental y conforme a la naturaleza,
> independientemente de la fantasía, algo que se
> lleva en la masa de la sangre como una llama
> eterna, siempre dispuesta a encandilarle a uno,
> que no se extingue pronto, sino que dura largo
> tiempo, años quizá. (Svidrigailov)[1]

Oistros, el tábano, que molestaba a los bovinos con su picazón, era también una fuerza omnipresente que gobernaba a los griegos. Se acercaba con un zumbido intermitente. El aguijón de su picadura hería el alma de los dioses, de los héroes y de los humanos. Nadie podía librarse de los furiosos acontecimientos que desencadenaba. Este animalito maligno provocaba todos los excesos, las locuras más voluptuosas. Los griegos explicaban el desenfreno de la furia erótica por la intervención de la figura de Oistros. Con los mitos iban tejiendo sus historias. Oistros era necesario para ofrecer un sentido a esa fiereza incontrolada que en ocasiones dominaba a los humanos por encima de toda razón.

El escritor latino Lucrecio está preocupado por la real 'naturaleza de las cosas'. Se niega a aceptar todo lo que no sea evidente. No busca la explicación de los hechos humanos en el mito, y acerca la mirada al hombre para encontrar una interpretación más racional de la furia erótica. Por este camino descubre que el joven está poseído por una energía desmesurada, que invade el cuerpo y necesita expulsar al exterior, el semen. Este elemento simple, pero irreductible, empuja a los jóvenes al desenfreno: «quiere arrojarlo la naturaleza/ do el bárbaro deseo se

---

[1] Dostoyevski, *Crimen y castigo*, p. 596.

encamina»[2]. El joven no puede contenerse, está poseído por la propia naturaleza. Se encuentra arrastrado por el 'bárbaro deseo'. Lucrecio pone de manifiesto la fuerza incontrolada del instinto sexual, la llamada de la naturaleza y el impulso bárbaro, que exigen la posesión sexual del otro ser. Es nuestra naturaleza la que se impone como guía. Unos versos más adelante el poeta lo explica con estas bellas palabras:

> Así, pues, a quien Venus ha llagado,
> ya tomando los miembros delicados
> de un muchacho, o haciendo que respire
> una mujer amor por todo el cuerpo,
> se dirige al objeto que la hiere,
> impaciente desea a él ayuntarse
> y llenarle de semen todo el cuerpo:
> el deleite presagia la ansia ciega[3].

El joven lleva el deseo a su fin porque se lo ordena la naturaleza. El ansia ciega tiene un poder tiránico. El instinto sexual es el más fuerte, es un instinto obcecado. Hacia la consecución del deleite no se interpondrá ningún medio. Rompe todos los muros. El afán de placer conduce a la posesión. El deseo es tiránico, tiene una energía desmesurada y busca el gozo eliminando todos los obstáculos. Es un fuego devorador que solo se apaga con el acto sexual, el gran momento del placer.

Michel de Montaigne poseía una biblioteca de aproximadamente unos mil libros. De ellos sacó cincuenta y siete sentencias que mandó grabar en las vigas del techo para que le acompañaran en la tarea de comentarista de la vida. Una de estas sentencias pertenecía a su admirado Lucrecio. Montaigne es también fiel a sus sentimientos, a lo que observa en su naturaleza y en la de los demás. Y como tiene una experiencia propia de lo que habla, advierte que las acciones humanas están dirigidas hacia la sensualidad. En relación con esta evidencia escribe: «Por mucho que digan, incluso en la virtud, el fin último de nuestra intención es la voluptuosidad. Me place golpear sus oídos con estas palabras que tanto les repele»[4]. Aunque no queramos oírlo y nos moleste la palabra, el furor del deseo nos arrastra. Esa fuerza que nos lleva hacia la voluptuosidad se

---

[2] Lucrecio, *De la naturaleza de las cosas*, libro IV, vv. 1419-1420, p. 278.
[3] Lucrecio, *De la naturaleza de las cosas*, libro IV, vv. 1428-1435, pp. 278-279.
[4] Montaigne, *Ensayos. Vol. I*, p. 124.

localiza en la parte media de nuestro cuerpo y se manifiesta de manera clara después de la infancia: «El calor natural agarra primero en los pies; esto atañe a la infancia. De ahí sube a la región mediana, donde anida largo tiempo, produciendo, a mi parecer, los únicos placeres verdaderos de la vida corporal; las demás voluptuosidades dormitan en comparación con ésta»[5]. Nada hay más peligroso que ignorar las evidencias corporales porque siempre la desnuda realidad de la vida se nos impone. El ensayista francés se dirige a aquellos que atacan al miembro sexual masculino, por «la rebelde libertad» que disfruta, para defenderlo y «abogar por su causa». Él sospecha que son los otros miembros corporales los que han levantado contra él esta querella «por pura envidia de la importancia y dulzura de su uso»[6]. Montaigne contempla y descubre todo. No niega el disfrute del cuerpo y la alegría que proporciona el placer sexual. Abre la conciencia del lector a la evidencia de la voluptuosidad como fuerza que mueve las acciones humanas.

También Cervantes nos va a acercar a reconocer las raíces más oscuras de nuestro deseo. Aquellas que no nos gusta mirar y ocultamos con los velos del disimulo. Nos enfrenta con el Eros que nos conforma y nos destruye. Nos descubre la furia voluptuosa del apetito sexual que está dentro de nosotros y, finalmente, señala la necesidad de controlarnos para vivir con los demás. Y en esta situación de desenfreno, transgresión y redención encontramos a Rodolfo, el protagonista de *La fuerza de la sangre*. Al comienzo del relato el joven está herido por el aguijón de Oistros, dominado por un bárbaro deseo y poseído por el calor natural en la región mediana.

Cuenta el narrador que en una calurosa noche de verano la joven Leocadia y su familia regresan a casa, después de haber pasado todo el día en el río. A pesar de ser de noche, el padre hidalgo y la honrada familia caminan con la seguridad que les proporciona vivir en Toledo, una ciudad donde impera la justicia y donde se vive rodeado de buena gente. Sin embargo, el mundo está dominado por el azar, y esta tranquila familia va a cruzarse con un joven que les traerá la desdicha. El destino azaroso persigue a los personajes cervantinos. De este caballero, que se atraviesa en el camino de la familia toledana, se nos ofrece la siguiente información: «Hasta veinte y dos años tendría un caballero de aquella ciudad a quien la riqueza, la sangre ilustre, la inclinación torcida, la libertad demasiada,

---

[5] Montaigne, *Ensayos. Vol. II*, p. 25.
[6] Montaigne, *Ensayos. Vol. I*, p. 148.

y las compañías libres le hacían hacer cosas y tener atrevimientos que desdecían de su calidad y le daban renombre de atrevido»[7]. El caballero es noble y rico, posee la fuerza de la sangre ilustre y el poder del dinero. El joven se cree en posesión de todos los derechos. Se sitúa por encima de los que no están en su nivel, a los que puede convertir en víctimas. Su ley es la fuerza, su poder el avasallamiento de los demás. Por otra parte, el «honrado hidalgo» se siente seguro en la sociedad, donde existe la justicia y donde vive en compañía de «gente bien inclinada». Sin embargo, el caballero no obedece las leyes sociales, ni sigue las reglas morales. Solo se escucha a sí mismo y se deja llevar por la «torcida inclinación», que no es otra que la de su deseo. Pero para llegar a realizar el deseo necesita dominarlo todo. La consumación está en su voluntad de poder. Por estas razones, este caballero poderoso no tiene por principio la libertad, sino «la libertad demasiada», o en otras palabras, el libertinaje. No reclama la libertad de los principios, sino la de su inclinación que puede quebrantar lo que se interponga en el camino. Por eso ha recibido el sobrenombre de 'atrevido', que no es otro que el de libertino[8].

El 'atrevido' o libertino no tolera los límites, no obedece ninguna regla. La voluntad está guiada por la ley insaciable del deseo. Se extralimita en la libertad, puesto que daña la dignidad de los demás. La ley de la fuerza se impone para dominar a la mujer objeto de su deseo. Cervantes nos presenta en Rodolfo un carácter abismal, insensible al dolor ajeno, abocado al gozo de satisfacer el deseo. El caballero rebosa fuerza en la sangre y atrevimiento en las acciones. Como es poderoso no tiene en cuenta las constricciones de la sociedad, disfruta de los privilegios de la riqueza, escapa de las limitaciones que obligan a los demás. Su libertad

---

[7] Cervantes, *Novelas ejemplares*, p. 304.

[8] Explica Octavio Paz que «en español, libertino significó al principio "hijo de liberto" y sólo más tarde designó a una persona disoluta y de vida licenciosa». Además como característica principal señala que «el libertino afirma el placer como único fin frente a cualquier otro valor. [...] El libertino necesita siempre al otro y en esto consiste su condenación: depende de su objeto y es el esclavo de su víctima. El libertinaje, como expresión del deseo y de la imaginación exasperada, es inmemorial», en *La llama doble*, pp. 24-25. Es pertinente la observación que realiza Jesús G. Maestro, 2007, cuando dice que 'la fuerza' debe entenderse «como referente objetivo de la literatura, es decir, como *ejercicio de poder*» (p. 166); para señalar después las diferencias de fuerza entre el padre de Leocadia «un hidalgo anciano y pobre» y Rodolfo que «dispone de poder más que suficiente para satisfacer sus caprichos sin dar cuenta a nadie de las consecuencias», p. 171.

está basada en el exceso de fuerza[9]. Es la aspiración soberana que desdeña cualquier vínculo con los demás para seguir solo el impulso de los excesos. Una libertad desenfrenada que le conduce a los mayores atrevimientos. Su poder no está limitado por las obligaciones sociales, no tiene en cuenta la interdependencia con los seres humanos. En su comportamiento pasado y presente se percibe una existencia exenta de límites[10].

Leocadia, que sube la cuesta en dirección a la casa, se encuentra con la desdicha de cruzarse con Rodolfo. La mirada del caballero se dirige a la joven y la hermosura de su rostro despierta en él al bárbaro deseo. Así relata el narrador ese preciso momento: «Pero la mucha hermosura del rostro que había visto Rodolfo, que era el de Leocadia, que así quieren que se llamase la hija del hidalgo, comenzó de tal manera a imprimírsele en la memoria, que le llevó tras sí la voluntad y despertó en él un deseo de gozarla a pesar de todos los inconvenientes que sucederle pudiesen»[11]. De la belleza de la mujer nace el deseo del joven caballero. La hermosura convierte a la mujer en deseable, en un bello objeto al que se dirige el deseo irrefrenable del joven caballero.

---

[9] Sobre el carácter de Rodolfo, Ruth S. El Saffar, 1974, apunta: «he is despicted with such precision and intensity that his youthfulness, his freedom, his lascivity, his selfishness, and his impetuosity can be captured in the single deed of rape which ignites the story in a moment in which beauty and the desire for its possession are compressed in the smallest space of time», p. 129. Por otra parte, Alban K. Forcione, 1982, apunta el carácter demoniaco del personaje: «the links between Rodolfo and the demonic world are pronounced. The masks and grimaces of him and his cohorts as they move about their victims and taunt them; the emphasis on total confusion, violence and darkness surrounding his actions; […]; all are elements that associate him with the devils that inhabited the contemporary imagination and took vivid shape in its literature, painting, and didactic writing», p. 363.

[10] Nietzsche usaba el concepto 'dionisíaco' para designar el poder bárbaro, previo a la civilización, y señalaba los excesos sexuales, así como los fuertes impulsos que situaba por debajo de la civilización. Por su parte, Georges Bataille avisaba sobre la violencia de la sexualidad con estas palabras: «El terreno del erotismo es esencialmente el terreno de la violencia, de la violación»; y se dirige al lector con las siguientes preguntas: «¿Qué significa el erotismo de los cuerpos sino una violación del ser de los que toman parte en él? ¿Una violación que confina con la muerte? ¿Una violación que confina con el acto de matar? Toda la operación del erotismo tiene como fin alcanzar al ser en lo más íntimo hasta el punto del desfallecimiento», en El erotismo, pp. 21-22.

[11] Cervantes, Novelas ejemplares, pp. 304-305.

Me detengo brevemente en *La Galatea* para analizar cómo se desarrolla esta misma idea. En este texto asegura Erastro a Elicio que «a no
ser Galatea tan hermosa, no fuera tan deseada»[12]. A los ojos del joven la
mujer se ofrece para ser poseída como un bello objeto. La hermosura
es en la mujer la que la designa como deseo, de ahí se transforma en
objeto de posesión. Sin embargo, el deseo de gozar a la mujer hermosa
no es igual que el amor. Elicio responde inmediatamente a Erastro para
aclarar la diferencia entre el amor y el deseo de gozar con estas palabras:
«Y puesto caso que la hermosura y belleza sea una principal parte para
atraernos a desearla y a procurar gozarla, el que fuere verdadero enamorado…, ha de querer solamente por ser bueno, sin que otro algún
interés le mueva; y este se puede llamar, aun en las cosas de acá, perfecto
y verdadero amor,…»[13]. El deseo de belleza es propio del amor «por
ser bueno». Se abandona el deseo sexual de la carne para entrar en el
enamoramiento, en la amistad, que significa vida compartida con otra
persona. Es una aclaración importante para entender el desarrollo de la
relación entre Rodolfo y Leocadia.

En el primer encuentro, cuando Rodolfo ve a Leocadia, la belleza
se transforma en deseo de posesión sexual. Él no tiene ninguna intención de enamorarse. Por el contrario, Rodolfo solo desea acceder
al goce inmediato. Se siente libre ante los demás, se olvida de todo
compromiso social para alcanzar su objetivo, y no tiene en cuenta los
'inconvenientes', las prohibiciones o los castigos que impone la sociedad. El caballero posee un carácter abismal, 'atrevido'. Es un libertino
que no conoce el amor a la mujer, solo la tentación del deseo, el apetito
de la carne que le conduce a la concupiscencia. Tiene que traspasar los
límites para alcanzar el gozo. El suyo es un deseo que se apodera del
sujeto, y de tal modo lo posee que el individuo queda completamente
dominado. Este apetito sensual que arrastra a los deseos de la carne es
descrito por Erasmo de Rotterdam con estas palabras: «Como si fuera
un animal rebelde y mal domado, tiene que vivir atado al pesebre, acostumbrado como está a sacudidas violentísimas y a no querer atender a
las órdenes del jefe. Esta parte más baja, la mas bestial y rebelde»[14]. La
fuerza incontrolada del deseo descubre nuestro lado más 'bestial', nos
acerca a nuestra animalidad, a esa parte que no puede someterse y se

[12] Cervantes, *La Galatea*, p. 340.
[13] Cervantes, *La Galatea*, p. 340.
[14] Erasmo de Rotterdam, *Enquiridion. Manual del caballero cristiano*, p. 95.

rebela contra la razón. Nos puede conducir a acciones inhumanas si no podemos controlarlo. Con este comienzo de la novela Cervantes presenta la paradoja con la que está construido el ser humano. Estamos compuestos de carne y espíritu, somos animales y somos personas, poseemos instinto y razón, llegamos al exceso y al control. Hay momentos en que nuestra animalidad nos supera, se apodera de nosotros y no la podemos frenar. El deseo sexual irrefrenable, la furia voluptuosa, es una manifestación del componente animal que habita en nosotros. No podemos ocultarla y Cervantes nos la presenta[15].

Llagado por el aguijón de la hermosura, Rodolfo obedece a la ley del deseo irrefrenable. La energía desmesurada del deseo se sitúa en relación a la Naturaleza y al lado salvaje del hombre, implica un descenso a los grados más bajos de lo humano. Se acerca a la posibilidad de la libertad absoluta que libera al hombre de toda moralidad y de toda ley. El personaje cervantino sigue su instinto que es superior a todo control social. Pero, además, Rodolfo sabe que es caballero y Leocadia es hija de hidalgo. Él pertenece a los poderosos, ella a los que están por debajo. La ley del poder conlleva en numerosas ocasiones la negación del otro. El 'deseo de gozar' no puede ser limitado por las leyes sociales porque Rodolfo posee la fuerza de la sangre y la riqueza. El deseo posee un poder absorbente. La hermosura es una fuerza magnética ante la que el joven experimenta una atracción irresistible. El cumplimiento del deseo es imperativo.

De nuevo, en otro texto cervantino, en *Persiles*, descubrimos la misma idea. Describe el narrador la potencia del deseo con estas palabras: «cuando el amoroso deseo se apodera de los pechos poderosos, suele romper por cualquiera dificultad, hasta llegar al fin dellos; no se miran respetos, ni se cumplen palabras, ni se guardan obligaciones»[16]. El deseo es inextinguible e impulsa la voluntad de 'los pechos poderosos' sin que puedan controlarlo, posee una indomable constancia que no se detiene ante obstáculos ni se echa atrás por las convenciones sociales. Es un

---

[15] Georges Bataille proporciona una explicación penetrante de razón y naturaleza: «Con su actividad el hombre edificó el mundo racional, pero sigue subsistiendo en él un fondo de violencia. La naturaleza misma es violenta y, por más razonables que seamos ahora, puede volver a dominarnos una violencia que ya no es natural, sino la de un ser razonable que intenta obedecer, pero que sucumbe al impulso que en sí mismo no puede reducir a la razón», en *El erotismo*, p. 44.

[16] Cervantes, *Persiles*, p. 199.

impulso que busca sin descanso satisfacer el placer. Rodolfo afirma el valor soberano del deseo sexual. No tiene en cuenta a Leocadia, ni siquiera considera las consecuencias graves que le puede producir el grave daño que causa a la joven[17].

Dominado por su propia naturaleza y por su voluntad de poder, Rodolfo somete a la fuerza a Leocadia. Cuando comienza el forcejeo, ella queda desmayada. Sin embargo, él cumple su deseo ya que «los ímpetus no castos de la mocedad, pocas veces o ninguna reparan en comodidades y requisitos»[18]. En los jóvenes la propia naturaleza los domina. Es difícil detener la potencia sexual que aflora en la juventud, la energía desmesurada no se detiene. Esta incontrolada fuerza hace olvidar las reglas morales de la sociedad. El deseo consigue estallar los límites del orden, sigue un impulso que está por encima de todo, ya que exige la posesión. El deseo de gozar conlleva una libertad que se entrega a los excesos, una fuerza que se impone a la razón o al entendimiento. Al seguir el camino del libertino, el impulso de la energía desmesurada del deseo se deja llevar por la libertad de los instintos, lo que supone un acercamiento a la animalidad. Rodolfo viola a Leocadia. Con estas palabras nos describe el narrador este momento: «Ciego de la luz del entendimiento, a oscuras robó la mejor prenda de Leocadia; y como los pecados de la sensualidad por la mayor parte no tiran más allá la barra del término del cumplimiento dellos, quisiera luego Rodolfo que de allí se desapareciera Leocadia»[19]. La fuerza del deseo se contrapone a la razón, convierte al hombre en un animal furioso. La violencia del joven sobre la mujer rompe los límites de un mundo reductible a la razón. El poder bárbaro de la naturaleza, anterior a la civilización, se manifiesta en el acto de la violación. Además, Rodolfo niega a la mujer como ser humano. Leocadia queda convertida en un objeto. La libertad ilimitada del deseo conduce a la cosificación de la mujer. Cuando el deseo se

---

[17] El deseo aparece en un instante y el individuo cede al exceso de violencia del deseo, Georges Bataille concluye así este momento: «En el momento de dar el paso, el deseo nos arroja fuera de nosotros; ya no podemos más, y el movimiento que nos lleva exigiría que nosotros nos quebrásemos. Pero, puesto que el objeto de deseo nos desborda, nos liga a la vida desbordada por el deseo», en *El erotismo*, p. 147. En el retrato que Cervantes hace de Leocadia, según Alban K. Forcione, «we discover much that resembles the traditional situation of the miracle hero, who can do nothing but await divine assistance to relieve his suffering», 1982, p. 360.

[18] Cervantes, *Novelas ejemplares*, p. 306.
[19] Cervantes, *Novelas ejemplares*, p. 306.

impone por la fuerza desaparece el entendimiento, el amor se extingue, la belleza no se reconoce. Por eso una vez que triunfa el deseo, se abandona a la víctima. El ansiado goce no puede terminar en amor, la mujer no es sentida como persona sino como objeto, una vez usada se desecha. La fuerza se sitúa en relación con el salvajismo de la naturaleza. El hombre se convierte en animal. Ahora bien, si por un lado la naturaleza legitima la acción, por otro la naturaleza necesita la armonía. La violencia destruye la naturaleza, es necesario defenderse de la violación que sufre para que no se destruya. Los impulsos de la naturaleza deben ser contrarrestados con los fundamentos de la razón. El joven caballero se presenta como un ser dominado por la naturaleza, sin embargo debe aprender a encontrar un equilibrio a través del impulso de la razón. Fernando de Herrera presentaba esta lucha con las siguientes palabras: «I describe hermosamente aquella eterna discordia i guerra en que contrasta reluchando la razón con el apetito sexual y bruto. La cual, aunque superior, sugeta vituperosamente a los afetos, consiente ser gobernada de quien es súdito suyo. El apetito, si es racional, que sigue a la razón, se dice voluntad; si sensitivo, que va con el sentido, se llama concupiscencia»[20]. El placer es tiránico. Rodolfo es dominado por la concupiscencia, por el placer del acto sexual. Pero es preciso trasponer el apetito sexual y bruto a apetito racional. No se trata de poseer al otro como un objeto sino de quererlo como un ser humano.

Cuando Leocadia despierta del desmayo, apela a la compasión de Rodolfo para que la deje en libertad. Al mismo tiempo que se dirige a él con palabras piadosas, ella «tocaba su cuerpo y se acordaba de la fuerza que se le había hecho»[21]. Las sentidas palabras están íntimamente unidas al dolor del cuerpo. Sin embargo, lo dicho por la joven no tiene ningún efecto en el caballero. Ni siquiera escucha, porque para él ella es un objeto de placer. Las palabras no tienen significado, su entendimiento está apagado. La respuesta del joven a las palabras de Leocadia viene expresada no con razones, sino con la reacción del impulso instintivo: «La respuesta que dio Rodolfo a las discretas razones de la lastimada Leocadia no fue otra que abrazarla, dando muestras que quería volver a confirmar en él su gusto y en ella su deshonra»[22]. De nuevo, él busca el placer inmediato que resulta de la unión sexual. En el abrazo siente

[20] Fernando de Herrera, *Anotaciones a la poesía de Garcilaso*, p. 517.
[21] Cervantes, *Novelas ejemplares*, p. 307.
[22] Cervantes, *Novelas ejemplares*, p. 308.

el arrebato voluptuoso que responde con violencia a la consecución del placer. Él devora el cuerpo de la joven, como si fuera un lobo y ella una oveja. El deseo debería ser autocontrolado para poner límites a la 'libertad demasiada' porque vivimos con otros. Sin embargo, el afán de conseguir el objetivo inmediato del placer rompe los límites. La razón no tiene ningún poder cuando nos dejamos llevar solo por la fuerza de la sangre. El libertino quiere liberarse de toda regla y de toda moral para seguir los impulsos de su voluntad[23].

Ahora bien, en el segundo intento del caballero para forzar a Leocadia, la joven está consciente y puede defenderse de la fuerza del hombre: «tan gallarda y porfiadamente se resistió Leocadia que las fuerzas y deseos de Rodolfo se enflaquecieron»[24]. Si las palabras no detuvieron al caballero, la resistencia física es capaz de salvar a la joven de ser violada por segunda vez. La fuerza solo se resiste con la fuerza cuando falta la razón. Y es que, como nos cuenta el narrador, el noble caballero se ha dejado llevar «de un ímpetu lascivo, del cual nunca nace el verdadero amor, que permanece, en lugar del ímpetu, que se pasa, queda, si no el arrepentimiento, a lo menos una tibia voluntad de segundalle»[25]. Rodolfo sigue su deseo, dominado por la lascivia no atiende a ningún obstáculo para cumplirlo. El principio de la moral y de las leyes desaparece. En Rodolfo el deseo tiene un carácter implacable, su furor devorador desaparece cuando es saciado completamente. Eros puede confundir al joven, llevarlo por el camino equivocado, extraviarlo para acercarse a la animalidad, caer en la concupiscencia para convertirlo en un libertino. El joven caballero representa un aspecto extremo de la vida humana. Pero Eros también puede elevar a Rodolfo para alcanzar el amor. Octavio Paz formula con claridad este proceso que vamos a observar en el joven caballero. El poeta mexicano distingue sexualidad y amor. Explica que «la sexualidad es animal», mientras que «el amor es ceremonia y

---

[23] Como señala Octavio Paz «la expresión más total y, literalmente, tajante, de la filosofía libertina fueron las novelas de Sade»; y ofrece esta pertinente explicación sobre Sade que también nos ayuda a entender a Rodolfo: «La relación erótica ideal implica, por parte del libertino, un poder ilimitado sobre el objeto erótico, unido a una indiferencia igualmente sin límites sobre su suerte; por parte del 'objeto erótico', una complacencia total ante los deseos y caprichos de su señor. De ahí que los libertinos de Sade reclamen siempre la absoluta obediencia de sus víctimas», en *La llama doble*, p. 25.

[24] Cervantes, *Novelas ejemplares*, p. 308.

[25] Cervantes, *Novelas ejemplares*, p. 308.

representación pero es algo más: una purificación, como decían los provenzales, que transforma al sujeto y al objeto del encuentro erótico en personas únicas. El amor es la metáfora final de la sexualidad. Su piedra de fundación es la libertad: el misterio de la persona»[26]. Rodolfo todavía no conoce lo que es el amor, no se siente atraído hacia una mujer, no desea su cuerpo y su alma. Tiene que tener experiencia, aprender en la vida para poder llegar al amor.

En las primeras páginas de la novela Cervantes muestra la fiera brutalidad del deseo que puede habitar en el hombre. Su naturaleza le exige que se escuche a sí mismo y que la voluntad siga los impulsos sexuales. Ahora bien, la armonía de la naturaleza es ultrajada por la acción violenta, la fuerza necesita serenarse para seguir el ritmo de la naturaleza. O dicho de otro modo, el deseo que consigue estallar los límites del orden, necesita aplacarse para vencer la brutalidad. A la libertad total, al desenfreno, se imponen unos límites: la constricción de las reglas sociales y morales. La plenitud del placer, que exige el deseo, puede imaginarse ilimitado, aunque es limitado al vivir en sociedad. Rodolfo concibe el deseo sin límites, pero sabemos que tendrá que aprender. Reivindicando la libertad total se impone la fuerza, ya sea física o social, de la sangre o del dinero. Por este camino llegamos a una libertad que se entrega a los excesos, a un deseo sexual que no se detiene, a un individuo a quien no le importa el dolor que causa a los demás. Es por esto que se convierte en imperativo aprender los límites que impone el vivir con otros, respetar la dignidad de los demás, reconocer la belleza y sentir el amor. Desde ahí abandonamos el furor del deseo para entrar en la amistad, que significa al mismo tiempo vida compartida con otra persona y experiencia común del mundo.

Si el joven Rodolfo desciende a la animalidad por la furia del deseo, después ascenderá a lo humano por la conquista del amor. El joven tiene que recorrer el camino del aprendizaje hasta alcanzar la redención. La vitalidad desatada necesita sujetarse a la contingencia, busca una constricción en la razón. Rodolfo se marcha a Italia para realizar su etapa formativa: «no eran caballeros los que solamente lo eran en su patria, era menester serlo también en las ajenas»[27]. Y cuando se pone en camino el narrador señala con claridad que «él se fue con tan poca memoria de lo

---

[26] Octavio Paz, *La llama doble*, p. 106.
[27] Cervantes, *Novelas ejemplares*, p. 311.

que con Leocadia le había sucedido como si nunca hubiera pasado»[28]. El deseo devora y el que desea es devorado. Para él Leocadia ha sido un objeto desechable cuando ha sido usado. De nuevo, al recordarnos la «poca memoria» del personaje, el narrador lo presenta como un violador que siente en sí la libertad total que le otorga el poder de la sangre noble y de la riqueza. Sin embargo, con el viaje a Italia comienza el aprendizaje, el conocimiento del otro como ser humano completo. Con este movimiento de ida y vuelta, Cervantes podrá representar en el personaje de Rodolfo los dos aspectos extremos de la vida humana. Para ilustrarlo sigo el pensamiento de Georges Bataille, cuando señala que en cualquier tiempo histórico aparece en el rostro humano su aspecto de duplicidad: «En los extremos, en un sentido la existencia es fundamentalmente honesta y regular: el trabajo, el cuidado de los hijos, la benevolencia y la lealtad rigen las relaciones de los hombres entre sí; en el sentido contrario, la violencia azota sin piedad: si se dan las condiciones, los mismos hombres saquean e incendian, matan, violan y torturan. El exceso se opone a la razón»[29]. Rodolfo tiene que controlar los excesos de la fuerza de la sangre y aprender a usar la razón. El animal que habita en él se va domesticando con el aprendizaje y el deseo se va transformando con la mirada de la razón. Debe comenzar a aprender las reglas que funcionan en la sociedad y llevar una 'existencia honesta y regular'[30].

El mundo está dominado por el azar. Si la casualidad produjo el desgraciado encuentro entre el caballero y la joven, el azar llevará también a la salvación. Los padres de Rodolfo conocen a su nieto Luis por un accidente. El niño es atropellado por un caballo. Un respetable anciano lo recoge y lo lleva a su casa para curarlo. Leocadia le da las gracias, a lo que el caballero responde que no tiene por qué agradecerle, ya que cuando vio al niño «le pareció que había visto el rostro de un hijo suyo»[31]. La joven reconoce que está en la casa, «donde se había dado fin

---

[28] Cervantes, *Novelas ejemplares*, p. 311.

[29] Georges Bataille, *El erotismo*, p. 192.

[30] Así explica Octavio Paz este proceso civilizador: «Por esto hemos tenido que inventar reglas que, a un tiempo, canalicen al instinto sexual y protejan a la sociedad de sus desbordamientos. En todas las sociedades hay un conjunto de prohibiciones y tabúes —también de estímulos e incentivos— destinados a regular y controlar el instinto sexual. Esas reglas sirven al mismo tiempo a la sociedad (cultura) y a la reproducción (naturaleza). Sin esas reglas la familia se desintegraría y con ella la sociedad entera», en *La llama doble*, pp. 16-17.

[31] Cervantes, *Novelas ejemplares*, p. 314.

a su honra y principio a su desventura». Cuando observa todo con cuidado, concluye que fue el hijo de estos nobles caballeros quien la violó. Leocadia les cuenta 'la travesura' de su hijo y todo lo que había sucedido con él. Los padres, llenos de compasión y misericordia hacia la joven, quieren remediar la malvada acción del 'cruel hombre'. Escriben al hijo a Italia para proponerle casarse con una bella mujer. El joven «con la golosina de gozar tan hermosa mujer» regresa a Toledo. Cuando le enseñan el retrato de una mujer fea y se la proponen como futura esposa, el joven caballero señala con claridad a sus padres: «Mozo soy pero bien se me entiende que se compadece con el sacramento de matrimonio el justo y debido deleite que los casados gozan, y que si él falta cojea el matrimonio y se desdice de su segunda intención»[32]. Lejos de convertir el amor en algo absoluto, el protagonista señala la incompatibilidad existente entre el ideal del amor y la práctica del amor. El amor es la combinación de Eros y la amistad. Rodolfo constata la necesaria presencia de la atracción sexual en el matrimonio. En sus palabras muestra la ambivalencia del discurso amoroso, situado entre el ideal cristiano y la práctica real. El personaje cervantino señala su escepticismo hacia el amor idealizado para recalcar que el mutuo disfrute sexual es necesario para que funcione el matrimonio. Si se quiere construir una verdadera relación amorosa entre el hombre y la mujer, deben existir una amistad mutua y una concordancia erótica. La belleza del cuerpo es importante. A este respecto regreso de nuevo a Michel de Montaigne para señalar la coincidencia. Cuando el ensayista francés habla de la belleza espiritual y la belleza corporal dice que «en cuestión de amor en la que tienen que ver principalmente la vista y el tacto, hácese algo sin las gracias del espíritu, mas nada sin las gracias del cuerpo. Es la belleza el verdadero bien de las damas»[33]. También el personaje cervantino se mueve en el terreno práctico y real, lejos de las elevadas disquisiciones morales y los elevados idealismos cristianos que se encuentran en los textos sacerdotales. El deseo sexual está inscrito en la naturaleza humana. El hombre y la mujer lo sienten como una necesidad que tiene que ser satisfecha. Los deseos de la sensualidad son ineludibles[34]. El personaje cervantino

---

[32] Cervantes, *Novelas ejemplares*, p. 319.

[33] Montaigne, *Ensayos. Vol. III*, p. 52.

[34] Y este es también el camino que marca Erasmo para el matrimonio cristiano, a pesar de la fuerte oposición que encontraba en la Iglesia. En *Apología del matrimonio* dice: «Ya estoy oyendo a quien me dice que el feo y obsceno apetito consabido, y

defiende con naturalidad la sexualidad dentro del matrimonio cristiano y, como consecuencia, la necesidad de sentirse atraído por el cuerpo de la mujer. Así, en estas palabras, apreciamos el proceso de aprendizaje que ha transformado a Rodolfo. El deseo incontenible que mostraba al principio de la novela se ha domesticado para someterse a un posible matrimonio. La ilusión del amor entra en su vida. Rodolfo incluye una sexualidad natural, una relación erótica. Pero ahora, se sitúa dentro de los límites que impone la sociedad. Además, interioriza el respeto a la dignidad del otro. La sensualidad se regula con el matrimonio. El espíritu desmesurado del joven encuentra la medida. El hombre libertino se domestica para vivir en libertad con los demás[35].

Rodolfo está preparado para enamorarse. El encuentro con Leocadia es inevitable. El enamoramiento es instantáneo. Así nos cuenta el narrador el momento del encuentro: «Rodolfo, que desde más cerca miraba la incomparable belleza de Leocadia, decía entre sí. ¿Es por ventura algún ángel humano el que estoy mirando? Y en esto se le iba entrando por los ojos, a tomar posesión de su alma, la hermosa imagen de Leocadia»[36]. El amor desea la hermosura y nace a la vista de la persona hermosa. Rodolfo descubre la belleza que conduce al enamoramiento. Primero se siente atraído por la belleza corporal, por ese cuerpo hermoso. Después siente atracción hacia el alma. Ama a una persona en su totalidad. El alma del joven se convierte en un espacio físico ocupado por la belleza. La fuerza del deseo del primer encuentro se transforma en la fuerza del amor. Si al comienzo de la novela era un prisionero del

aquellos estímulos de la sensualidad, tienen su origen, no en la Naturaleza, sino en el pecado. ¡Qué afirmación tan falta de verosimilitud! Como si el matrimonio, cuya misión no puede cumplirse sin los consabidos estímulos, no hubiera precedido al pecado... Acabaré por decir que con nuestra imaginación hacemos feo lo que de suyo es hermoso y respetable», en *Obras escogidas*, p. 434.

[35] Para Stanislav Zimic, Rodolfo «no ha cambiado en absoluto durante todos esos años en Italia, porque su carácter y sus inclinaciones sexuales son los mismos de siempre»; incluso el matrimonio se debe a que la madre «se aprovecha de un momento de intensa excitación sensual y emocional de éste para mandar al cura que "luego desposase a su hijo con Leocadia"», 1996, p. 214. De muy distinta opinión es R. P. Calcraft: «The years in Italy have brought such changes in him that we seem now to be in the presence of a man who understands the complexities of serious human relationships, honours his parents and the customs of this society, and above all has achieved an apparently complete understanding of his own nature», 1981, p. 200.

[36] Cervantes, *Novelas ejemplares*, p. 321.

cuerpo que obedecía a los instintos, ahora es un prisionero del alma a
quien le crecen alas para amar. Si se marchó a Italia sin memoria alguna
de Leocadia y sin recuerdo de su violenta acción, a la vuelta y nada más
ver a la joven, la memoria de ella es absoluta. Contempla la hermosa
imagen de la joven con la profunda veneración de mirar a un ángel.
Traspasado por la belleza, la imagen de Leocadia ocupa toda su alma. El
enamoramiento inicia el comienzo de la redención de Rodolfo. Ahora
no desea poseer el cuerpo de la mujer, quiere a la persona. No le domina el apetito sexual, sino el placer de contemplar a la persona amada. Se
siente irremediablemente ligado a Leocadia. La belleza toma posesión
de su alma como una fuerza física. Desea que Leocadia se convierta en
su esposa. Pero antes tiene que conquistar el amor de la joven. No puede dejar de mirarla y, menos aún alejarse de ella. Él tiene necesidad de
amistad, de estar próximo a ella.

Leocadia sufre un desmayo debido a su debilidad física y al exceso
de emociones. La madre de Rodolfo le comunica que es ella la esposa
prometida, y no la fea mujer del retrato. En ese momento el narrador
expone la descripción del amor con estas palabras: «Cuando esto oyó
Rodolfo, llevado de su amoroso y encendido deseo, [...], se abalanzó al
rostro de Leocadia y juntando su boca con la della, estaba como esperando que se le saliese el alma para darle acogida en la suya»[37]. La acción
representa la imagen de la pasión y la energía de Eros. El deseo erótico
sigue soliviantando el cuerpo del joven amante. Pero, el deseo sexual del
principio de la novela se ha transformado en un deseo amoroso. Cuando el alma está llena de deseo no saciado se desborda y anhela la unión.
La fuerza de la fascinación erótica arrastra al amante hacia la amada para
unirse completamente en cuerpo y en alma. En el amor se mezclan el
deseo sexual y la amistad, el sexo junto al cariño, el cuerpo y el alma.
El joven caballero conoce la fulgurante luz del amor junto al atractivo
erótico que lo invade desde el primer encuentro. El beso se produce por
la fuerza magnética que ejerce Leocadia ante la que Rodolfo no puede
resistirse. La belleza renueva el vigor. Con la contemplación de la joven
el deseo experimenta el más delicioso de los placeres: el amor.

En este contexto utilizo las siguientes palabras de Octavio Paz sobre
el significado del amor como explicación del beso de Rodolfo y el comienzo del amor: «El amor es una atracción hacia una persona única: a
un cuerpo y a una alma. El amor es elección; el erotismo, aceptación. Sin

---

[37] Cervantes, *Novelas ejemplares*, p. 321.

erotismo —sin forma visible que entra por los sentidos— no hay amor pero el amor traspasa al cuerpo deseado y busca al alma en el cuerpo y, en el alma, al cuerpo. A la persona entera»[38]. El personaje ha recorrido un largo camino. El 'encendido deseo', que apreciábamos en Rodolfo cuando ve por primera vez a Leocadia, se ha transformado en el 'amoroso deseo'. En el encendido deseo se busca solo el placer inmediato. En el amoroso deseo el joven está atado a la amada. Quien ama permanece unido a ella completamente. En la acción del beso de Rodolfo se muestra la evolución del deseo, desde la brutalidad de la violación (naturaleza) hasta la domesticación con el amor (cultura). Ahora el deseo es un compuesto de sexualidad y amor. El 'amoroso y encendido deseo' puede apreciar la belleza de la mujer. A través de la boca entra y se comunica el sentimiento del amor sin poder ser detenido. El beso es la unión con la belleza, el triunfo final del amor que reconoce la libertad y la dignidad del otro. El beso reivindica el triunfo final de la belleza y del mundo en que se vive. Rodolfo se siente irremediablemente ligado a la amada. Descubre que pertenece por completo, en cuerpo y alma, a esa mujer. Él acepta los límites que la realidad impone al deseo. El furioso deseo perturbador se transforma en amor conyugal. En definitiva, el personaje ha recorrido tres etapas hasta llegar al amor. Comenzó con la transgresión de la violación, siguió con el castigo de la expulsión de Toledo y termina con la redención del matrimonio[39].

Se celebra el matrimonio entre el hijo del caballero anciano y la hija del hidalgo. La boda es amenizada por los músicos y los invitados disfrutan con la cena. A pesar de que todos están divirtiéndose con la

[38] Octavio Paz, *La llama doble*, p. 33.
[39] Para Joaquín Casalduero, en el matrimonio de Rodolfo y Leocadia «no hay ninguna verdad psicológica a lo siglo XIX; lo que hay es otra cosa; el pecado de la carne purificado y redimido por el sacramento del matrimonio. La unión del hombre y la mujer —pecado una vez perdida la inocencia— santificada ante los ojos de Dios», 1962, p. 161. Me parece importante para entender el final de la novela la siguiente observación de Alban K. Forcione: «The tale in fact confirms the presence of the divine within the secular worl, stresses the possibility of man's harmonious working with God's Providence, and celebrates the value of human capacities and efforts. Moreover, it implies a divine sanction of social institutions and all the obligations that mark man as a social as well as a religious being», 1982, p. 395. Por su parte, Ruth El Saffar también nota la correspondencia entre lo natural y lo sobrenatural para señalar que «Rodolfo's acceptance of Leocadia as his wife is viewed with benevolence and is taken as sacramental, despite the fact that it was motivated by desires originating out of his lust and love for beauty», 1974, p. 136.

celebración, Rodolfo quiere que la fiesta termine para estar a solas con su esposa. El tiempo transcurre, pero muy lentamente para él cuando piensa en lo que anhela. La espera lo colma de ansiedad: «Y aunque la noche volaba con sus ligeras y negras alas, le parecía a Rodolfo que caminaba no con alas sino con muletas: tan grande era el deseo de verse a solas con su querida esposa»[40]. La evolución del deseo se ha completado con un final feliz. El deseo erótico se mantiene con fuerza en el cuerpo del amante y se consuma en el cuerpo de 'su querida esposa'. La boda muestra la necesidad de un límite obligado para que funcione la comunidad. El conocimiento del límite, que parece ir siempre acompañando al hombre, es parte inseparable de su naturaleza. En el principio de la novela Rodolfo desafía esta frontera y llevado por el impulso desaforado del deseo llega a la violación. El deseo ilimitado tiende a la posesión sexual por la fuerza. Al final, Rodolfo mira a Leocadia y reconoce a la persona querida. En ella descubre la belleza y el amor. De esta manera, acepta los límites del deseo, la naturaleza común a los hombres[41].

En la Grecia antigua la picazón de Oistros afectaba a dioses, héroes y humanos. En el mundo cervantino el tábano es también inevitable. Nadie se libra de este animalito maligno. Ni el rey, ni el común de las gentes, ni caballeros ni viudas; y aún menos los animales. La pasión y la energía de Eros mueve con fuerza a todo ser viviente. Todos sienten la sangre soliviantada hasta satisfacer su deseo. Así, con el humor que caracteriza a Cervantes, encontramos esta furia incontrolada incluso en el manso Rocinante. El inocente Sancho se equivoca cuando cree que ni siquiera las mejores yeguas cordobesas podrían inclinar la sangre del rocín hacia el «mal siniestro». Sin embargo, de este 'mal' no se libra nadie,

---

[40] Cervantes, *Novelas ejemplares*, p. 323.

[41] Recordamos que el hombre solo era percibido como un egoísta, alguien que llevaba una vida inadecuada para la sociedad. A este respecto anota Erasmo en *Apología del matrimonio*: «¿Qué ser hay más aborrecible que el hombre que, como si hubiera nacido exclusivamente para sí, para sí vive, para sí acarrea, para sí gasta y a nadie ama y de nadie es amado? ¿No parecerá este monstruo, este delirio de la Naturaleza, digno de que, en compañía de Timón, el misántropo, se le eche fuera de la comunidad humana y se le arroje en medio del mar?», en *Obras escogidas*, p. 438. Para algunos críticos el matrimonio no significa ningún cambio en la personalidad de Rodolfo, así David M. Gitliz, 1981, asegura: «the dark night of the rape, when allis shrouded in gloom, becomes the gleaming nupcial feast. The desperate shouts ans laments turn to joyous congratulations. The families finally united. Leocadia's shame and dishonor are abrogated by marriage. At the end of the novel the wolf and the sheep lie down together. But, of course, the 'wolf is still a wolf'», p. 121.

ni animal ni persona. Y como es ineludible también afecta a Rocinante, a quien «le vino un deseo de refocilarse con las señoras facas, y saliendo, así como las olió, de su natural paso y costumbre, sin pedir licencia a su dueño, tomó un trotico algo picadillo y se fue a comunicar su necesidad con ellas»[42]. Es una condición 'de su natural', que el rocín siente como una necesidad que debe ser satisfecha. Rocinante responde a su agitación instintiva. No puede evitar ese 'deseo de refocilarse' porque está inscrito en la naturaleza animal. Sin embargo, el deseo del rocín no extraña a Sancho.

Las personas más respetuosas también se olvidan de las ilusiones del amor y se dejan llevar a veces por la satisfacción que les proporciona el placer sexual. Esto lo sienten de la misma manera hombres y mujeres. No hay distinción de sexos cuando nos referimos al placer. Las mujeres desean igual que los hombres. En muchas ocasiones el fin que se busca no es la procreación o la unión con la persona amada, sino el placer sexual. Don Quijote le relata a Sancho el breve cuento de una viuda hermosa y rica que se enamora de un joven soez, bajo e idiota. Al ser preguntada por qué ella siendo tan hermosa no ha elegido un mozo más inteligente, responde la viuda a esta persona que «está engañado y piensa muy a lo antiguo, si piensa que yo he escogido mal en fulano por idiota que le parece; pues para lo que yo le quiero, tanta filosofía sabe y más que Aristóteles»[43]. La mujer está contenta con el placer que le proporciona el acto sexual. Elige a un joven que tiene cualidades físicas que le proporcionan el goce de su sensualidad. Es el amor carnal, libre de toda fantasía moral. La belleza física, no intelectual o moral, produce la atracción física y el placer de los sentidos. A través de este gracioso cuento de don Quijote descubrimos un conocimiento completo de la naturaleza humana. El deseo erótico, la búsqueda del placer es parte fundamental de la vida que afecta a todas las criaturas, hombres y mujeres; incluso a quien representa a Dios en la tierra[44].

---

[42] Cervantes, *Don Quijote de la Mancha*, I; 15, p. 160.

[43] Cervantes, *Don Quijote de la Mancha*, I; 25, p. 285.

[44] Sobre la belleza física y la belleza espiritual Montaigne tiene claro que la mujer desea lo mismo que los hombres. Dice: «Oigo a menudo elogiar la belleza espiritual desdeñando la que perciben los sentidos. Pero puedo decir que he visto con frecuencia excusar la debilidad de nuestro ánimo a causa de la belleza corporal de las mujeres, mientras que nunca he visto que ellas, por atención a la belleza del alma, ofrezcan la mano a un cuerpo que ya decline, por poco que sea», en *Ensayos. Vol. III*, p. 63.

Las dos naturalezas del rey, la divina y la humana, le permiten ser todopoderoso. Como representante de Dios en la tierra goza de un poder supremo. Todo lo puede porque le respalda la gracia divina. Es la encarnación terrestre de Dios, por eso cuenta con la obediencia y la devoción de los vasallos. El entorno y las personas deben ajustarse a la voluntad del rey. Él es soberano. Todos lo aman, pero también sienten miedo ante su presencia. Los vasallos viven bajo el amor y la amenaza. En la obra *Pedro de Urdemalas*, el carácter implacable del deseo se manifiesta en la figura del rey. La fuerza del deseo presenta al rey como un ser dividido entre su naturaleza humana y divina, a la vez que como un hombre desgarrado en sí[45].

El monarca se siente dominado por el deseo sexual, a cuyos impulsos tiene que oponer los fundamentos de la razón. En un principio Eros domina su ser. El rey quiere gozar el cuerpo de la bella gitana Inés. Cuando observamos los primeros movimientos se comporta de manera semejante al joven caballero Rodolfo. La diferencia es que el rey solo actúa en pensamiento, ya que no puede llevarlo a cabo. Le gustaría comportarse como un libertino, pero refrena los impulsos. Como es el ser más poderoso siente que su libertad es desenfrenada. Está basada en la aspiración de los más fuertes. No entiende que nadie sujete su voluntad. Desdeña a los demás porque son inferiores. Él puede escapar de cualquier control. Los poderosos no deben sujetarse a las leyes porque poseen todos los derechos. El rey, poseído por la fuerza del deseo, siente que ninguna persona debiera constituir un obstáculo en el camino de satisfacer el placer. Así lo declaran estas palabras suyas: «¡Vamos! ¡Mal haya quien tiene / quien sus gustos le detiene!»[46]. La soberana exuberancia del rey disfruta de libertad absoluta. Satisfacer el gusto es parte de sus privilegios. Inés, aparentemente la más humilde de todos los vasallos ya que es una gitana, debería sentirse halagada por la mirada del rey, tendría que obedecer los mandatos del soberano. La satisfacción sexual del rey debería ser cumplida inmediatamente y la joven debería

---

[45] Stanislav Zimic, 1996, señala que encontramos en la obra de Cervantes a personajes «nobles de nacimiento, pero flagrantemente mezquinos, ruines, degenerados, sin ninguna calidad espiritual, moral o temperamentalmente redentora» y cita como ejemplos al rey en *Pedro de Urdemalas*, a Rodolfo y al padre de Carriazo y Constanza «hombre monstruosamente egoísta, violento, cruel chantajista, brutal destructor de la honra y de la vida de una indefensa mujer», p. 274.

[46] Cervantes, *Pedro de Urdemalas*, vv. 1680-1681.

obedecer. Sin embargo, la bella gitana rechaza las pretensiones del ser supremo. Ante la continua negación de la joven Silerio, el secretario del rey, se dirige a la gitana para convencerla de que acepte la «amorosa intención» del rey. El secretario deja claro a la gitana que de no seguir la voluntad del poderoso «pudiérase usar la fuerza/ antes aquí que no el ruego»[47]. De nuevo, vemos cómo la fuerza es contraria al lenguaje. La violencia se opone a establecer una relación de comunicación con el otro. Cuando no funciona el ruego, el poderoso recurre a la fuerza. La joven no se asusta, mantiene la independencia y responde: «Gusto con desasosiego, / antes mengua que se esfuerza»[48]. Para que haya 'gusto' es necesaria la unión consentida, la comunión de voluntades. Por el contrario, la violencia mengua el gusto porque la mujer es convertida en objeto. En la pretendida acción del rey y en las palabras de la joven se contraponen la fuerza frente a la palabra, el furioso impulso frente a la mesura, la pasión impetuosa del deseo frente a la razón, la violencia frente al acuerdo, el exceso frente a los límites. Cuando el cuerpo, incluso el del rey, es absorbido por el deseo sexual, nada se sostiene, se pierde el equilibrio en la actuación, desaparece el fundamento de la palabra. Solo la fuerza es válida para doblegar a la mujer. El apetito sexual menosprecia la ley, impone la actuación soberana y niega la interdependencia que existe entre los seres humanos.

El rey irradia dignidad, pero solo si respeta la dignidad de los vasallos. Los súbditos aceptan la sumisión si el rey les considera personas. De lo contrario, si no respeta la libertad de los vasallos y se impone por la fuerza, el rey se humaniza y los vasallos pueden rebelarse contra él. Se convierte en un hombre, que como en tantos otros se manifiesta la debilidad de la carne. La diferencia es que él es poderoso. Cree que los demás deben sucumbir ante su fuerza. Sin embargo, la joven Inés se rebela porque su dignidad no es respetada. Los hombres de poder no entienden la rebelión. Piensan que la joven debería ser dócil y aceptar; de lo contrario será sometida por la fuerza: «Hoy gozarás los despojos / de la gitana hermosa», le asegura el criado al rey[49]. El cuerpo de la mujer será tratado como un despojo. El 'despojo' es la representación de la carnalidad sin ley, representa la imagen de la fuerza que devora y destruye.

---

[47] Cervantes, *Pedro de Urdemalas*, vv. 1759-1760.
[48] Cervantes, *Pedro de Urdemalas*, vv. 1761-1762.
[49] Cervantes, *Pedro de Urdemalas*, vv. 1829-1830.

Eros, que es el gran destructor de toda jerarquía social, se convierte
en esta obra de Cervantes en el gran perturbador, capaz de desenmas-
carar la deidad del rey. Ante el espejo de Eros el ser más poderoso se
quita la cara divina para enseñarnos el rostro humano. El furor ciego del
deseo difumina la superioridad del rey. El monarca, atrapado por Eros,
se convierte en un ser desgarrado por el deseo. Como consecuencia, él
mismo es consciente de la caída irrefrenable. Con tristeza y asombro,
al contemplar la situación en que se encuentra, el rey pronuncia estas
palabras: «Que tiemble de una gitana / un rey, ¡qué gran poquedad!»[50].
Si la figura del Rey irradiaba un halo de deidad que le hacía aparecer
intangible en su corporeidad, si lo corporal y lo natural se mantenían
alejados de la imagen, si todo en él debía ser sublime; ahora sus mismas
palabras nos lo revelan en su lado más humano. El rey se iguala al hombre, el deseo lo transforma en semejante a los demás, es ya uno de tantos
hombres. El rey está pagando caro su deseo por Inés. Ha abandonado el
halo divino, la majestad se ha convertido en 'poquedad'. Pero aun así, el
deseo todavía no se ha cumplido y el rey tendrá que pagar el precio más
alto para alcanzarlo. La reina le recuerda algo que él sabe muy bien: «que
es la belleza tirana, / y a cualquier alma conquista»[51].Y la belleza de Inés
es el deseo de poseerla. Nadie se libra del poder tiránico de la belleza y
del deseo. Incluso para el ser más poderoso en la tierra la belleza de la
gitana se convierte en una ilusión irrealizable del deseo.

   Más tarde nos enteramos de que Inés no es una gitana. Para compli-
car más las cosas, la hermosa joven es sobrina de la reina. Por lo tanto,
está unida por fuertes lazos de parentesco con el rey. A pesar de tan grave inconveniente, él no puede someterse a las leyes morales porque el
deseo no posee reglas, solo obedece a la ley insaciable del deseo. Poco a
poco el rey se da cuenta de que la belleza de Inés es inalcanzable. Al final
de la obra contemplamos la resignación del rey en la tristeza y angustia
que proyectan sus palabras

> En cualquier traje se muestra
> su belleza al descubierto;
> gitana, me tuvo muerto;
> dama, a matarme se adiestra.
> El parentesco no afloja

---

[50] Cervantes, *Pedro de Urdemalas*, vv. 1963-1964.
[51] Cervantes, *Pedro de Urdemalas*, vv. 2043-2044.

> mi deseo; antes, por él
> con ánimo más cruel
> todo el alma se congoja[52].

El deseo posee al rey, y destruye cualquier realidad que atraviese su alma. Es un fuego que no puede extinguirse. Ante la ausencia de esperanza de cumplir el deseo, el dolor y la angustia se apoderan de su alma, con ellas camina hacia la muerte. Cuando su criado Silverio le anima diciéndole que no se aflija porque encontrará una salida. El rey responde con una frase lapidaria: «Sí, mas moriré entre tanto»[53]. La salvación está en la muerte. El rey sabe que el deseo irrealizable únicamente queda vencido con la muerte. El fuego no se extingue en vida, solo se borra con la muerte. El rey se humaniza con el dolor y la angustia. Se resigna a morir sin cumplir su deseo. Al final ya no busca imponer la fuerza de su poder, acepta los límites del hombre.

El joven caballero Rodolfo y el maduro rey sometidos por la fuerza del deseo desdeñan los límites, desprecian las reglas humanas o las leyes sociales, aquellas que hacen posible una vida en común. Ellos no se sienten semejantes a los demás. La desmesura es su regla, la fuerza su ley. Sin embargo, las reglas son fundamentales para mantener las relaciones sociales. Están reguladas por la razón y gracias a ellas se protege la dignidad y la libertad de las personas. El exceso del deseo permanece fuera de la razón, menosprecia a los demás individuos, convirtiendo a Leocadia e Inés en objetos que pueden ser usados por la fuerza que otorga el poder de la sangre. Cervantes reconcilia los opuestos que desgarran a los personajes: deseo y amor, reglas y libertad. Busca el equilibrio de los contrarios frente a la desmesura. Con el matrimonio de Rodolfo y Leocadia y con la conformidad del rey apela a la necesidad de unos límites, a la defensa de unas reglas comunes socialmente vinculantes, a la comprensión de la dignidad común.

[52] Cervantes, *Pedro de Urdemalas*, vv. 2960-2967.
[53] Cervantes, *Pedro de Urdemalas*, v. 3115.

CAPÍTULO 4

EL DON DE LA METAMORFOSIS

> Pero ese es el comienzo de una nueva historia, la
> historia de la continua renovación de un hom-
> bre, la historia de su gradual regeneración, de su
> tránsito de un mundo a otro...[1]

La metamorfosis es un legado de la Antigüedad. Proteo puede tomar todas las formas que se encuentran en la tierra y en el mar. Es capaz de hablar pretendiendo ser un sabio o ser un ignorante, se acomoda a todos los espacios y recorre todos los tiempos. En la *Odisea* el dios griego se siente atrapado por Menelao y sus compañeros, que se acercan a él disfrazados con pieles de focas. Proteo intenta escabullirse transformándose en león, en culebra, en leopardo, en jabalí, en agua, en árbol. Al fin se cansa y adopta su figura, la de Proteo, anciano del mar, y los ayuda con lo que quieren. Es decir, después de tantos cambios, Proteo se resigna a su destino y hace lo que de él se exige. El dios griego representa las posibles metamorfosis de lo real. Pero, las constantes transformaciones le llevan a vivir en lo incierto, ya que huye de una identidad. Con la metamorfosis intenta escapar, pero después de múltiples cambios vuelve a sí mismo. La metamorfosis posee un carácter liberador, aunque se impone una identidad final. La *Odisea* es una sucesión de metamorfosis, los dioses tienen una naturaleza proteica. Ahora bien, el poema también nos muestra la fuerza irreparable del destino: los dioses pueden volver a su naturaleza original. En ellos descubrimos el balanceo entre multiplicidad y unidad. La vida es la conjunción de ambos[2].

---

[1] Dostoyevski, *Crimen y castigo*, p. 695.

[2] Virgilio cuenta que el pastor Aristeo, al perder su ganado, acudió aconsejado por su madre, al oráculo del sabio dios Proteo, quien no se «olvidaba de sus artes, se transformaba en todas las maravillas del mundo: fuego, bestia horripilante, río

Uno de los textos más influyentes del Renacimiento es el *Discurso sobre la dignidad del hombre* de Pico della Mirandola. En el comienzo se presentan las siguientes preguntas y afirmaciones: «¿Habrá quien no admire a nuestro camaleón? ¿O habrá algo más digno de admiración? Con razón afirmó el ateniense Asclepio que el hombre, por su naturaleza versátil y capaz de transformación, estaba simbolizado en los relatos míticos por Proteo»[3]. Se destaca en el hombre la libertad de elegir entre sus distintas naturalezas y las variadas posibilidades de vivir. La esencia de la *dignitas* humana es el libre albedrío, de ahí se deriva su mutabilidad. Dios deja al hombre en la indefinición. Él tiene el poder de transformarse en lo que elija, tiene la libertad de elegir su propio destino. Proteo es la imagen de la existencia, la metamorfosis es su metáfora. En su azarosa búsqueda, el ser humano se irá transformando para recorrer el universo como si estuviera explorándose. Cuantas más metamorfosis tenga, más descubrirá de sí mismo. Por esta razón, nos dice el humanista italiano, el mejor Artesano «dio al hombre una forma indeterminada, lo situó en el centro del mundo y le habló así: "Oh Adán: no te he dado ningún puesto fijo, ni una imagen peculiar, ni un empleo determinado. Tendrás y poseerás por tu decisión y elección propia aquel puesto, aquella imagen y aquellas tareas que tú quieras"»[4]. El hombre no está definido como los animales, sino que va haciéndose, posee libertad de elección. Y Dios creó al hombre de esta manera indeterminada para que «entendamos que debemos ser lo que queremos ser»[5]. Como ha nacido sin forma definida, el hombre es multiforme; y su aspiración es romper los límites entre lo que quiere ser y lo que es. El hombre posee una voluntad libre para alcanzar la propia forma, aquello que quiere ser. La tarea es elegir bien porque no todas las opciones son buenas. La confianza en el hombre implica la capacidad que tienen para elegir libremente lo bueno. La dignidad se obtiene si elige la mejor manera de vivir, si descubre lo

transparente. Pero así que con ardid alguno halla escapatoria, vencido, vuelve en sí, y finalmente habla con voz humana», en *Geórgicas*, IV, p. 163. Así explica Edgar Wind la naturaleza de los dioses: «En el siempre cambiante *balance des dieux* los dioses ponen de manifiesto su naturaleza proteica, pero el mismo hecho de que cada dios contenga su opuesto en sí mismo, y que pueda cambiarse en él cuando la ocasión lo requiera, le hace prefigurar la naturaleza de Pan, en quien todos los opuestos se identifican», 1972, p. 200.

[3] Pico della Mirandola, *Discurso sobre la dignidad del hombre*, p. 134.
[4] Pico della Mirandola, *Discurso sobre la dignidad del hombre*, p. 133.
[5] Pico della Mirandola, *Discurso sobre la dignidad del hombre*, p. 135.

mejor de su potencial. Esta actitud humanística que impulsa Pico della Mirandola defiende la dignidad y la libertad del hombre[6].

Proteo se convierte también en uno de los mitos más frecuentes durante el Barroco. Con el dios griego se representa al hombre multiforme que vive en un mundo en constante metamorfosis. El estudioso francés Jean Rousset resume el significado de Proteo con estas palabras:

> Proteo es el hombre que no vive más que en la medida en que se transforma; siempre móvil, está destinado a huir de sí mismo para existir y se aleja continuamente de sí mismo; su ocupación consiste en abandonarse; no, como un Gide anacrónico, para liberarse de un yo anterior y preservar un estado de eterno nacimiento, sino para significar que está formado por una sucesión de apariencias[7].

Proteo da origen a uno de los mitos de la época: el carácter proteico de la naturaleza humana. El hombre es un proteo, un camaleón que se define a través de la multiplicidad[8]. El proceso de transformación constante del hombre, hasta alcanzar la propia identidad, es la característica principal de la comedia *Pedro de Urdemalas*[9]. El autor incorpora en el

---

[6] Paul O. Kristeller, 1993, lo analiza con estas palabras: «Para Pico el hombre no tiene una naturaleza determinada, ni tampoco un lugar fijo en la jerarquía de los seres; de alguna manera se encuentra situado fuera de ella. Este hecho está íntimamente relacionado con la enorme importancia que Pico otorga a la libertad de elegir que el hombre tiene entre las naturalezas o maneras diferentes de la vida, todas las cuales le son posibles». Ahora bien, para Pico no todas las opciones son igualmente buenas o deseables, por lo tanto «es tarea y deber del hombre elegir la forma de vida más elevada que esté a su disposición. [...] Solo alcanzará el hombre su dignidad plena cuando elija la posibilidad más elevada», p. 238.

[7] Jean Rousset, 2009, p. 25.

[8] Jean Rousset, 2009, pone como ejemplo a Baltasar Gracián que recurre a Proteo en *El Criticón*: «Los dos héroes del libro que acaban de desembarcar en una isla desierta, toman contacto con el mundo, que se presenta como un mundo de disfraces e ilusión, en el que abundan los monstruos, las quimeras y lo grotesco», p. 25. Jorge Luis Borges en el poema «Proteo» mantiene la pervivencia del mito y el carácter múltiple del ser humano: «Urgido por las gentes asumía / La forma de un león o de una hoguera / O de árbol que da sombra a la ribera / O de agua que en el agua se perdía. / De Proteo el egipcio no te asombres, / Tú que eres uno y eres muchos hombres», en *Obras completas. Vol. III*, p. 96.

[9] Es importante tener en cuenta la fecha de la composición, así como la tradición literaria del personaje principal. Ángel Estévez Molinero, 1995, señala: «Cervantes la tituló *Comedia famosa de Pedro de Urdemalas* y debió

protagonista el amor por la metamorfosis y por la dialéctica entre lo uno y lo múltiple. Como otros personajes cervantinos, Pedro de Urdemalas va haciéndose constantemente en la afanosa tarea de querer ser él mismo. Si la característica esencial del ser humano es la voluntad libre, el personaje siempre intenta alcanzar lo que quiere ser.

Cervantes, como buen Artesano, dio a Pedro de Urdemalas una forma indeterminada. El mismo personaje al contar los orígenes de su vida señala que no está determinado ni por los padres ni por el lugar de nacimiento. Estas son las palabras: «Yo soy hijo de la piedra, / que padre no conocí»[10]. Tampoco es de un lugar concreto: «No sé dónde me criaron»[11]. Pedro, como su nombre, es piedra, sin forma ni figura definida, inarticulada como el barro o el leño, sin rostro pétreo fijo. Es como piedra rodante que va de un lugar a otro y en ninguno se queda. Ni conoce su origen familiar, ni se siente unido a un lugar. Puede recorrer el mundo como suyo. No está sujeto a un pasado, todo el tiempo le pertenece. La informidad de la figura está destinada a la multiplicidad, a adquirir una forma continua cambiante, a tener un rostro multiforme sin cesar. Como no nace con un destino fijado, puede adquirir múltiples formas y desarrollarse en numerosos lugares. El personaje se define a través de su peculiar multiplicidad. Posee la capacidad de metamorfosearse en cualquier ser. Vive en el sentido de la posibilidad. Una transformación es una opción entre otras. Es versátil y múltiple, una variación constante. Pedro es como Proteo, una figura oscilante y sin límites fijos. Pero, como el dios griego, que regresa a su identidad original después de múltiples transformaciones, el personaje

---

escribirla, según Cotarelo Valledor, Schevill-Bonilla, Canavaggio y Meregali, con posterioridad a la muerte del actor Nicolás de los Ríos, ocurrida el 29 de marzo de 1610», p. 88. Con respecto a la tradición este mismo crítico nos muestra que el personaje aparece en diferentes textos desde el siglo XII hasta Salas Barbadillo, y que se va configurando un paradigma «gracias a la vital interrelación del folclore y la literatura, a lo largo de la Edad Media y en el ambiente favorable del Renacimiento... La tradición ha ido calificando al personaje como ingenioso, embustero, imaginativo, burlón y proteico», p. 86. Por otra parte es importante observar que la más escenificada de las comedias cervantinas «parece haber sido hasta el momento *Pedro de Urdemalas*», como nos dice Jesús G. Maestro, 2000, debido al planteamiento experimental de la obra, al carácter polifacético del personaje y al montaje efectista que posibilita que «configuran una forma de teatro muy diferente a la postulada entonces por la comedia nueva de corte lopista», p. 41.

[10] Cervantes, *Teatro completo*, *Pedro de Urdemalas*, vv. 600-601.
[11] Cervantes, *Teatro completo*, *Pedro de Urdemalas*, v. 604.

cervantino tiene que encontrar la identidad final que le pertenece. Como el escultor en la materia, Pedro tiene que encontrar la forma perfecta. Pedro de Urdemalas representa el don de la metamorfosis[12].

En el curso de sus días, Pedro de Urdemalas se ha acostumbrado a que el cuerpo y el rostro se adapten a las más variadas situaciones y a los más diferentes oficios. Por él sabemos que sirvió de grumete, que fue a las Indias, que volvió para establecerse en Sevilla. En la ciudad andaluza fue mozo de la esportilla, vivió en el hampa, sirvió a soldado. Después se mudó y vendió aguardiente en Córdoba. De esta manera, el protagonista continúa de un oficio a otro, del servicio de una persona a otra. Entiende la vida como un fluir que arrastra toda estabilidad. Nada permanece y Pedro se transforma constantemente. Su existencia es una continua metamorfosis. Así se la profetizó un cierto Malgesí cuando le mira las rayas de la mano: «que habéis de ser rey, / fraile, y papa, y matachín»[13]; y poco a poco le va describiendo los avatares de su biografía para concluir: «Pasaréis por mil oficios / trabajosos; pero al fin / tendréis uno do seáis / todo cuanto he dicho aquí»[14]. Palabras con las que se refiere al protagonista, pero que también aluden a la indefinición del hombre, que se presenta como un ser variable y multiforme, en constante cambio; aunque en una búsqueda por encontrar lo que quiere ser. Pedro está destinado a cambiar constantemente hasta llegar a ser uno. El personaje recorre la multiplicidad para alcanzar la unidad. El discurrir de su vida representa el vaivén entre lo múltiple y lo uno. Es preciso el cambio para llegar a una identidad. Pedro se siente atraído por el misterio de las palabras del Malgesí, que se presentan ante él como un enigma que resolverá con el paso del tiempo. Antes de encontrar ese oficio donde será rey, fraile, papa o matachín al mismo tiempo, Pedro se

---

[12] En este contexto es pertinente recordar la teoría de la creación de Miguel Ángel expresada en sus poemas. El artista tenía que encontrar la forma perfecta en la informe materia del mármol. La materia se ofrece al artista como multiplicidad, pero él tiene que descubrir la forma ideal que está escondida en el seno de la materia, necesita arrebatar la forma perfecta que subyace en la materia. Por otro lado, como afirma Alban K. Forcione, 1970, Pedro de Urdemalas se caracteriza por su fantasía «and a desire to bring the world of the imagination and that of everyday life into contact»; además Pedro «continually associates himself with the fantasy, and undertakes the misión of providing the world with the pleasures of the imagination», p. 326.

[13] Cervantes, *Teatro completo*, *Pedro de Urdemalas*, vv. 751-752.

[14] Cervantes, *Teatro completo*, *Pedro de Urdemalas*, vv. 756-759.

convertirá en numerosas personas, una tras otra en una sucesión indeterminada. El personaje siente que puede ser todas las personas posibles, aunque sabe que tiene que alcanzar la unidad, como le ha profetizado el Malgesí. El protagonista lo expresa con estas palabras: «Y aunque no le doy crédito, / todavía veo en mí / un no sé qué / que me inclina / a ser todo lo que oí...»[15]. La vida se presenta como un continuo proceso, una sucesión de metamorfosis. El personaje no renuncia a la multiplicidad, pero tampoco a la unidad[16].

Pedro de Urdemalas se relaciona con diferentes tipos sociales, pasa por numerosos oficios. Este continuo cambio le obliga a representar otros tantos papeles, adaptando los gestos y las palabras a cada nueva situación. Vive en variados mundos y a cada uno se adapta como un camaleón. En su personalidad es inherente la metamorfosis que exige la situación e incluso el instante. De esta manera, cuando se enamora de Belica, la gitana, Pedro decide hacerse gitano. Como vive en la medida que se transforma, él puede abandonar inmediatamente la anterior ocupación y cambiar en lo que desee. En el momento que se enamora de Belica afirma: «digo que he de ser gitano, / y que lo soy desde aquí»[17]. Vive en el instante y se adapta a la circunstancia. Su amigo Maldonado informa a la gitana sobre la decisión de Pedro: «Quiérese volver gitano / por tu amor...»[18]. Pedro conoce el carácter proteico de su naturaleza. Él es según la situación y el contexto.[19]

---

[15] Cervantes, *Teatro completo, Pedro de Urdemalas*, vv. 760-764.

[16] Como bien explica Jesús G. Maestro «El personaje Pedro de Urdemalas se configura así como paradigma del cambio y la mutación actancial o funcional, pero nunca *esencial*, que puede experimentar el sujeto en una de las épocas más inflexibles, y moralmente más resistentes a cualquier transformación, que haya conocido el mundo referencial y axiológico del arte y la literatura europeos», 2000, p. 342.

[17] Cervantes, *Teatro completo, Pedro de Urdemalas*, vv. 766-767.

[18] Cervantes, *Teatro completo, Pedro de Urdemalas*, vv. 1540-1541.

[19] La pasión por la metamorfosis, por lo múltiple, la traslada Elias Canetti a los individuos que él llama 'custodios de la metamorfosis' frente a una sociedad que mira cada vez más a lo útil y productivo. Dice: «En un mundo consagrado al rendimiento y a la especialización, [...]; en un mundo que cada vez prohíbe más la metamorfosis por considerarla contraria al objetivo único y universal de la producción, [...]; en un mundo semejante, que deberíamos calificar del más obcecado de todos los mundos, parece justamente un hecho de capital importancia que haya gente dispuesta a seguir practicando, a pesar de él, este preciado don de la metamorfosis», en *Masa y poder,* p. 357.

Cervantes pone en evidencia con el personaje de Pedro de Urdemalas la dificultad de definición. El ser humano se caracteriza por la multiplicidad, por la capacidad de transformarse. Además, en la obra apreciamos que nuestras relaciones sociales y personales son también multiformes. Cambiamos nuestro papel, según la situación o de acuerdo con la persona que encontramos. Pasamos por diferentes etapas desde la infancia a la vejez, y en cada una de ellas desarrollamos una transformación. De la mano del personaje cervantino nos vamos dando cuenta de ese Proteo que habita en el fondo de nosotros sin ser muy conscientes de ello. Pedro de Urdemalas representa una afirmación del ser humano multiforme, con pluralidad de comportamientos y de conciencias, con capacidad de representación. Nos descubre el carácter proteico de nuestra naturaleza.

Siglos después, Elias Canetti convierte la metamorfosis en una de sus obsesiones. Su pensamiento me ayudará a ilustrar el significado de la obra cervantina. Canetti vuelve a recordarnos las numerosas huellas que portamos de la metamorfosis con estas palabras: «Si a uno le estuviese dado el tiempo necesario para contemplar con más detenimiento todos los impulsos y estados de ánimo que se deslizan por un rostro, se sorprendería de los incontables amagos de metamorfosis que allí se podría reconocer y seleccionar»[20]. Normalmente no nos damos cuenta de estos amagos, queremos borrar las huellas de la metamorfosis; aunque se ponen en evidencia con solo contemplarnos. Ahora bien, el mismo Elias Canetti nos advierte unas páginas más adelante que el carácter proteico de la naturaleza humana se contrarresta con un anhelo de permanencia. La multiplicidad busca la unidad. El constante movimiento desea encontrar la inmovilidad. Lo formula con estas palabras: «Ha de haber sido precisamente el talento del hombre para la metamorfosis, la fluidez creciente de su naturaleza, lo que le intranquilizó e hizo acudir a barreras firmes e inmutables»[21]. El movimiento continuo, que el hombre siente en su naturaleza, es el que le despierta el deseo de inmovilidad, que le satisface por las prohibiciones que impone a la metamorfosis.

[20] Canetti, *Masa y poder*, p. 393.
[21] Canetti, *Masa y poder*, p. 402. Elias Canetti añade que el hombre siente en su cuerpo presencias extrañas a las que se sentía en su poder y debía transformarse en ellas. «Estas presencias extrañas eran puro movimiento, como era fluidez su sentimiento más personal, su yo más íntimo. Todo ello tenía que despertar en él un anhelo de permanencia y duración, que sólo podía ser satisfecho por medio de las prohibiciones de metamorfosis», en *Masa y poder*, p. 402.

La metamorfosis muestra al hombre como un ser inacabado, que como el escultor a la piedra, él mismo tiene que darse forma. El escultor hace visible la figura escondida en la piedra, porque la piedra es multiforme. La piedra posee en sí todas las formas posibles. El escultor busca un gesto y un movimiento que den unidad, que sean una síntesis de esa multiplicidad. Pedro de Urdemalas es una figura inacabada que se transforma constantemente. Como el personaje queda definido en la multiplicidad, tiene que buscar también una identidad que sea síntesis de la multiplicidad, que sea uno al mismo tiempo que puede ser todos los posibles. Mientras tanto, se da una forma en cada una de sus actuaciones. Todavía no tiene una única forma definida para siempre, aunque está en su pensamiento y sabe que tiene que encontrarla. Forma parte de su destino. Este conocimiento que tiene de sí mismo le lleva a confesar a Belica, que también aspira a ser lo que en el presente no es:

> Yo también, que soy un leño,
> príncipe y papa me sueño,
> emperador y monarca,
> y aun mi fantasía abarca
> de todo el mundo a ser dueño[22].

Si al principio de su vida Pedro se definía como piedra, ahora es un 'leño' al compararse con príncipes o papas. Es verdad que el sentido de 'leño' está relacionado con la poca habilidad o nula inteligencia para desempeñar el oficio de papa o emperador. Sin embargo, para continuar con la analogía de la piedra, leño es una madera sin forma definida, una materia informe en proceso de búsqueda de una imagen, una figura indeterminada que en potencia puede ser todas. Pero la posibilidad de ser todos los seres posibles, incluso los más altos en la jerarquía social, solo puede ser un sueño, porque siempre faltará el entendimiento. La realidad no se acomoda a estas posibilidades. Pedro ha podido ser gitano, estudiante o mendigo. Para realizar las transformaciones Pedro ha usado el ingenio. Ha imitado tal y como es el nuevo personaje asumido. Ha sacado el actor en continuo movimiento. Así, cuando Pedro se hace pasar por ermitaño, le dice Maldonado: «Con tan grande industria mides / lo que tu ingenio trabaja, / que te ha de dar la ventaja, / fraudador de

---

[22] Cervantes, *Teatro completo*, *Pedro de Urdemalas*, vv. 1600-1604.

los ardides»[23]. Es casi un actor, con el suficiente ingenio para fingir ser otro hombre. Y digo 'casi' porque todavía Pedro de Urdemalas une vida y actuación, integra los dos en unidad de acción.

La continua aventura de la metamorfosis es posible en la realidad, pero la actuación está limitada a unos seres que están al alcance de Pedro. Un emperador o un papa solo pueden ser posibles en el sueño. Pedro comienza a conocer los límites de la metamorfosis en la vida real. Empieza a distinguir la frontera entre lo que es y lo que puede llegar a ser. Aun siendo consciente de estos límites, Pedro todavía quiere conseguir todo y vivir todo. En él se mantiene la esperanza de que se cumplan las palabras del Malgebí que le profetizaba que iba 'a ser todo': rey, papa y matachín. Y, además, tiene que encontrar la figura que sea síntesis de la multiplicidad. El personaje cervantino no tiene una imagen propia, pero en las numerosas transformaciones se va conociendo a sí mismo para llegar a entender lo que quiere y debe ser. Lleva un camino semejante al hombre que explica Pico della Mirandola siguiendo la teología caldea. Este hombre, asegura el humanista, «no tiene, por sí mismo y por nacimiento, una imagen propia, pero sí muchas extrañas y adventicias», y esto es así para que «entendamos que queremos ser lo que queremos ser»[24]. Este anhelo de ser lo que queremos ser nos acerca a la alegría de la aceptación de uno mismo. Y aquí me dirijo a Erasmo de Rotterdam cuando pone en boca de la Estulticia el alcance de la felicidad con las siguientes palabras: «Y para terminar diré que si la parte más principal de la felicidad consiste en ser lo que se quiere ser, entonces mi querida Filantía ha provisto esto con creces»[25]. El amor propio ayuda a alcanzar este deseado objetivo. También, reitera la locura, el reconocimiento de los demás o la adulación «consigue, en suma, que cada uno se acepte y tenga una mayor estima de sí mismo, que es la base de la felicidad»[26]. Es decir, de acuerdo con Pico y Erasmo, en un momento de la vida, después de múltiples transformaciones el hombre debe conocerse, saber cuáles son sus defectos y sus cualidades, comprender sus limitaciones y sus posibilidades, para llegar a ser lo que ha querido ser. Alcanzado el punto de ser lo que se es, necesita aceptarse y ser feliz.

---

[23] Cervantes, *Teatro completo*, *Pedro de Urdemalas*, vv. 1783-1786.
[24] Pico della Mirandola, *Discurso sobre la dignidad del hombre*, p. 135.
[25] Erasmo de Rotterdam, *Elogio de la locura*, p. 61.
[26] Erasmo de Rotterdam, *Elogio de la locura*, p. 94.

Transformarse y ser otro es la forma de conocer lo que queremos ser. Y es que la pluralidad de comportamientos o la atracción a la multiplicidad, que siente Pedro de Urdemalas, no es nada extraño al ser humano porque se corresponde con la variedad en la naturaleza. Con estas palabras se expresa el protagonista cuando aparece vestido con manteo y bonete como un estudiante: «Dicen que la variación / hace a la naturaleza / colmada de gusto y belleza, / y está muy puesto en razón»[27]. La naturaleza posee también todas las formas. Es como Proteo, cambia constantemente. Cuando observamos la naturaleza nos alegramos al contemplar las variaciones de los animales y de las plantas, que se transforman porque no poseen una forma determinada desde el principio. La percepción de la metamorfosis transmite la vivencia de vivir en un mundo que está en continua transformación. Como la variedad hace más bella a la naturaleza, el hombre se convierte en más 'digno de admiración' con la transformación. Toda persona tiene la posibilidad de ser multiforme, se siente atraída a la multiplicidad. De esta manera se comportan la naturaleza y el mundo. Además, la transformación implica una plurivalencia de relaciones entre el hombre y el mundo que mantiene activa la voluntad: «Un solo vestido cansa / En fin, con la variedad / se muda la voluntad / y el espíritu descansa»[28]. Pedro de Urdemalas se conoce muy bien a sí mismo y se define en la multiplicidad. En el continuo movimiento de transformaciones de una persona a otra descubre el carácter proteico de su naturaleza. Él mismo se define como un «segundo Proteo»[29]. Pedro es una afirmación del carácter proteico del ser humano, de la pluralidad de comportamientos, de la variedad de conciencias, de su permanente capacidad de representación. El personaje resume su vida así: «¡Válgame Dios qué de trajes / he mudado, y qué de oficios, / qué de varios ejercicios, / qué de exquisitos lenguajes!»[30]. La vida es alegre en el cambio, en la variación, en la experimentación. El estudiante Pedro defiende la alegría de la variedad en contra de la

[27] Cervantes, *Teatro completo, Pedro de Urdemalas*, vv. 2660-2663.
[28] Cervantes, *Teatro completo, Pedro de Urdemalas*, vv. 2669-2671. Alban K. Forcione, 1970, nota en estos versos implicaciones y un tono cristiano que él explica así: «by appropriating the language of divinity, he suggests that the artist as Proteus is a type of god of a fallen kingdom, who offers his creations to his subjects as spectacles of the variety, flux, and illusion which form the fabric of that kingdom and which the Christian soul must experience on its earthy journey», p. 176.
[29] Cervantes, *Teatro completo, Pedro de Urdemalas*, v. 2675.
[30] Cervantes, *Teatro completo, Pedro de Urdemalas*, vv. 2676-2678.

uniformidad que produce aburrimiento. La metamorfosis es liberadora. Es una aventura que vive intensamente el presente.

Sin embargo, la aventura de la metamorfosis también se enfrenta con la realidad que tiene un carácter irreversible. El ser humano puede transformarse constantemente, usando su ingenio actúa como otro y vive numerosos destinos. Esta búsqueda constante de ser, se va convirtiendo en un recorrido agotador. Además, la existencia en la transformación conlleva riesgos y peligros, arrastra a vivir en lo incierto. Avanzada la obra y con la experiencia vivida, Pedro de Urdemalas expresa con lucidez el drama de vivir la metamorfosis en los siguientes versos:

> Y agora, como estudiante,
> de la reina voy huyendo,
> cien mil azares temiendo
> desta mi suerte inconstante.
> Pero yo ¿por qué me cuento
> que llevo mudable palma?
> Si ha de estar siempre nuestra alma
> en continuo movimiento,
> Dios me arroje ya a las partes
> donde más fuere servido[31].

Pedro entiende la existencia como una aventura, siente la multiplicidad de vidas vividas como suyas; pero percibe que el viaje es agotador. La vida situada en el instante es inestable, el azar es inseguro, la transformación es peligrosa. Es el precio de la metamorfosis. Existe un amplio horizonte de posibilidades de ser, él experimenta con cada una de ellas, vive plenamente el momento; pero la suerte es inconstante y el peligro acecha. Después de tantas mudanzas, Pedro de Urdemalas desbroza el camino y percibe que cada vez lo tiene más difícil en esta andadura. Puede ser descubierto por la reina. El personaje descubre los límites y los peligros de la metamorfosis: no puede transformarse en todos los seres posibles y puede ser castigado. Aun así, Pedro sabe que su característica es la multiplicidad, el 'continuo movimiento'. No posee todavía una forma definida para siempre. Por lo tanto, debe encontrar esa figura que le ofrezca la posibilidad de vivir múltiples destinos, donde pueda ser todos los seres posibles, sin estar sometido al

---

[31] Cervantes, *Teatro completo, Pedro de Urdemalas*, vv. 2679-2689.

peligro del castigo de los poderes terrenales o a la incertidumbre del momento. Como no quiere ser rey o papa en el sueño, ni quiere temer el poder de la reina, desea encontrar con urgencia esa identidad que le permita vivir en la realidad[32].

Y, como había profetizado el Malgesí, Pedro va a encontrar ese 'uno' que pueden ser todos. Un día ve actuar a un grupo de actores y en ese momento descubre lo que quiere ser: «Sin duda, he de ser farsante, / y haré que estupendamente / la fama mis hechos canté, / y que los lleve y los cuente / en Poniente y en Levante»[33]. Pedro se había transformado en numerosas personas, había vivido en variados lugares y se había adaptado a múltiples situaciones. Descubre en el fondo de sí mismo el actor en continuo movimiento que ha sido. Ahora, está preparado para ser actor en el escenario. No tiene dudas de que la vida le ha enseñado este oficio donde podrá encontrar el reconocimiento. Cuando se mueva a la escena, ni a él ni a nosotros extraña que se convierta en un gran actor. Por fin, encuentra la identidad profetizada, su destino: «Ya podré ser patriarca, / pontífice y estudiante, / emperador y monarca: / que el oficio de farsante / todos los estados abarca»[34]. En el fondo de sí mismo Pedro llevaba al actor, ahora lo descubre y podrá encarnar a múltiples personajes. Pedro ha tenido una identificación completa con cada uno de los papeles que ha vivido: «Sé todo aquello que cabe / en un general farsante; / sé todos los requisitos / que un farsante ha de tener / para serlo, que han de ser / tan raros como infinitos»[35].Como actor se reconoce simultáneamente múltiple y uno, se superponen la experiencia de la vida y la actuación en la representación. En el teatro encuentra el oficio, la libertad, la quietud, la identidad, la confirmación de su destino. Se aleja del peligro de ser castigado y del continuo recorrer sin descanso. La figura del actor ilustra la salvación del incesante movimiento de la

---

[32] Por continuar con la analogía de la piedra, recojo el ejemplo que ofrece Elias Canetti para explicar el anhelo de permanencia del ser humano. Explica el sistema de piedras que tienen los aborígenes australianos y cómo mantienen la expresión visible de la leyenda transmitiendo las piedras de una generación a otra. El propósito es el siguiente: «En esta concentración sobre lo permanente de la piedra, algo que no nos es desconocido tampoco a nosotros, me parece que está contenido el mismo profundo deseo, la misma necesidad, que condujo a todos los tipos de prohibiciones de metamorfosis», en *Masa y poder*, p. 402.

[33] Cervantes, *Teatro completo, Pedro de Urdemalas*, vv. 2812-2815.

[34] Cervantes, *Teatro completo, Pedro de Urdemalas*, vv. 2862-2866.

[35] Cervantes, *Teatro completo, Pedro de Urdemalas*, vv. 2894-2899.

metamorfosis. Y, además, el ser actor está en la naturaleza de Pedro, como 'segundo Proteo' que es, se confunde con el dios griego[36].

Convertido Pedro de Urdemalas en un actor, Cervantes nos recuerda el sentido Barroco del mundo como teatro y del hombre como actor. En el escenario del mundo el hombre representa distintos papeles. La vida es una representación. Jean Rousset explicaba el Barroco con estas palabras:

> Esta época, que ha dicho y creído, más que cualquier otra, que el mundo es un teatro y la vida una comedia en la que es preciso revestir un papel, estaba destinada a hacer de la metáfora una realidad; el teatro desborda entonces el teatro, invade el mundo, lo transforma en una escena animada por la tramoya, lo sujeta a sus propias leyes de movilidad y metamorfosis[37].

En la necesidad de representación se pone de manifiesto con una mayor claridad la metamorfosis, la multiplicidad que caracteriza al ser humano. La tendencia a actuar es la afirmación del ser humano como 'persona' en el estricto sentido etimológico que tiene la palabra de 'máscara'. La caracterización de 'persona' implicaría la aceptación de la metamorfosis que se manifiesta en la capacidad de representación. El hombre se pone un disfraz, se metamorfosea en un mundo que es teatro[38].

---

[36] Alciato en el emblema 182 se dirige a Proteo para preguntar: «Viejo de Palene, Proteo, que tienes naturaleza / de actor ¿Por qué unas veces son tus / miembros de hombre y otras de animal? / Dime, vamos, cuál es la causa de que te / conviertas en todas las cosas y no tengas / ninguna figura fija», en *Emblemática*, p. 225. Coincido con Stanislav Zimic, 1992, cuando afirma «que la decisión de Pedro de hacerse actor al final no la interpretamos sólo como un deseo de realizarse plenamente en el reino de la ficción, que ofrece ilimitadas oportunidades a su fantasía en búsqueda constante de desahogo en la variedad, sino también como un descubrimiento repentino de que el mundo del teatro se ofrece como una alternativa al teatro del mundo», p. 285.

[37] Rousset, 2009, p. 32.

[38] Dice la Estulticia: "Ahora bien, ¿qué es la vida de los mortales sino una especie de comedia? Cada actor aparece con su diferente máscara, representa su papel, hasta que el director de escena le manda retirarse. Incluso, a veces, puede mandar al mismo hombre que represente un papel distinto, de modo que quien poco ha hacía de rey cubierto de púrpura, al minuto aparece de esclavo andrajoso", en Erasmo, *Elogio de la locura*, p. 69. En el siglo XVII español el teatro invade las formas de vida, desde la Corte a la sociedad. John H. Elliott, 1991, lo explica así: «Cautivado como estaba por el arte del teatro, no es de extrañar que el siglo XVII mostrara un interés casi obsesivo por la apariencia. Si el mundo se percibe en términos de teatro, el realce o

Pedro de Urdemalas se siente seducido y atraído a ser actor. Como actor experimentará numerosos personajes. Durante unas horas podrá ser un rey y un siervo, un noble o un criado, un papa o un matachín. También se moverá en el tiempo y en el espacio, estará en la Grecia antigua como Edipo o en Madrid como un mendigo. En el escenario no existen los límites que impone la vida. Imitará al hombre como fue, como es y como será. Pedro de Urdemalas vivirá la aventura de la metamorfosis en el escenario, aunque sea por un tiempo limitado, sabiendo que continúa al siguiente día cuando adquiera un nuevo personaje. Su trabajo consiste en parecer ser otro, en penetrar en la vida que no es suya, en ser muchos a la vez, en manifestar pluralidad de comportamientos y de vidas. Teniendo la figura de actor, Pedro tiene una identidad, aunque da una nueva forma a la piedra con cada nueva representación. Su vida está consagrada a la metamorfosis, cada personaje es encarnado y sentido por él, su ser se multiplica en otros seres. Podríamos referirnos a nuestro personaje con las mismas palabras que Albert Camus dice sobre el actor:

> ilustra abundantemente, todos los meses o todos los días, esa verdad tan fecunda de que no hay frontera entre lo que un hombre quiere ser y lo que es. Lo que demuestra, siempre ocupado en representar mejor, hasta qué punto el parecer hace al ser. Pues su arte es eso, fingir absolutamente, meterse lo más posible en vidas que no son las suyas[39].

transformación de la apariencia adquiere un papel esencial en el arte del estadista. La aplicación de las artes teatrales a la vida política, y en especial a la proyección de la realeza, constituye una de las principales características de las monarquías del siglo XVII», p. 202. Mientras que en la vida pública la «conciencia de vivir y actuar como un personaje teatral en la vida, lleva al hombre a sentirse como un contemplado, a verse incorporado a un mundo en el que se confunden la realidad y la ficción», en palabras de Emilio Orozco, 1969, pp. 101-102.

[39] Albert Camus, *El mito de Sísifo*, p. 105. En ese mismo texto que lleva el título de «La comedia», Albert Camus dice: «Al hombre cotidiano no le gusta entretenerse. Todo le apremia, por el contrario. Pero al mismo tiempo, no le interesa nada más que él mismo, sobre todo lo que podría ser. De ahí su afición al teatro, al espectáculo, donde se le proponen muchos destinos cuya poesía recibe sin sufrir amargura», p. 102. Elias Canetti señalaba la profunda identidad entre la metamorfosis y el actor, el poder introducir los personajes en la vida de uno, así: «el placer de adoptar nuevos papeles ante personas que le conocen a uno bien, escabullirse de ellos..., es tan grande que la invención de nuevos caracteres, como corresponde al oficio del dramaturgo o del novelista, resulta relativamente

Pedro de Urdemalas conoce las fronteras de la metamorfosis en la vida real: no puede ser todos los seres posibles y existe el peligro de ser descubierto. En la confrontación con la realidad, y después de numerosas experiencias, Pedro siente que vive mejor en el oficio de actor. Con este oficio se libera de las constricciones de la realidad. La amenaza real de adoptar una nueva metamorfosis se nos presenta en la obra cuando un alcalde se da cuenta del cambio de figura del personaje. El alcalde al verlo muy cambiado en la nueva figura le pregunta: «Pedro, ¿cómo estás aquí / tan galán? / ¿Qué te has hecho?». A lo que responde Pedro: «Pudiérame haber deshecho / si no mirara por mí. / Mudado he de oficio y nombre, / y no es así como quiera: / hecho estoy una quimera»[40]. El personaje cervantino supera el drama de la metamorfosis al ser actor. En el escenario continúa su carácter proteico y su espíritu creador. Aquí no siente la amenaza ni el agotamiento de la realidad. De seguir en el escenario de la vida, la circunstancia le pudiera 'haber deshecho'. Ha tenido que cambiar, mudar de oficio, de lo contrario hubiera quedado destruido: la piedra hubiera terminado reducida a polvo. Sin embargo, Pedro elige la mejor forma de vida dentro de su naturaleza. La elección de actor le otorga dignidad. Ahora goza en la confianza de la tranquilidad y en el reconocimiento de los demás. La metamorfosis se mantiene en el escenario. El actor se asemeja a la 'quimera', representa diferentes papeles con la ilusión de que son reales. Imita al hombre en todas las posibilidades; pero no deja de ser una ilusión, una quimera, un 'farsante'.

La aventura de la metamorfosis es inacabada y huidiza, limitada y peligrosa. Es una vida que lleva a la insatisfacción y al desasosiego, por la imposibilidad de vivirlo todo y por el castigo de ser descubierto. Por el contrario, la metamorfosis situada en el escenario se convierte en una actuación constantemente renovada en la creación de cada personaje. El actor se mete en las vidas que representa hasta el punto de crearlas. Entre las numerosas posibilidades de vivir, Pedro de Urdemalas tiene la capacidad de elegir. La mejor forma de vida, que se adapta a su naturaleza, es el oficio de actor. Alcanza su meta porque ha elegido lo mejor de su potencialidad. Ha encontrado la unidad. Por esta razón, al convertirse en actor se ve obligado a cambiar de nombre: «en nombre de Nicolás / y el sobrenombre de Ríos /... /será mi nombre extendido / aunque

aburrido... Resulta gratificante meterse en un nuevo rostro y volver a colgar sobre él el viejo como si fuera una máscara», en *Apuntes*, p. 603.

[40] Cervantes, *Teatro completo, Pedro de Urdemalas*, vv. 3136-3142.

ponga en olvido / el de Pedro de Urdemalas»[41]. Cervantes sustituye el nombre del personaje, Pedro de Urdemalas, por el nombre de un conocido actor, Nicolás de los Ríos, que había muerto en 1610, poco antes de escribirse esta obra. El nuevo nombre otorga al personaje una forma definida, ya es lo que quiere ser. Pedro es múltiple y versátil, es la piedra en busca de la forma. Nicolás es la unidad, la identidad encontrada, la forma ideal que se encuentra en la materia. El actor es el triunfo de Proteo en el mundo. El actor posee todos los rostros posibles y los exhibe ante los demás. El actor Nicolás experimenta todas las posibilidades del ser sin sufrir violencia o dolor. No siente la amenaza de 'deshacerse', como Pedro. La búsqueda que ha llevado a cabo el protagonista, para encontrar una figura que fuera síntesis de la multiplicidad, llega a su fin en el oficio de actor. Cuando Pedro de Urdemalas se convierte en actor y la gitana Belica descubre que es hija de nobles, los dos personajes han alcanzado la meta que perseguían. Ya son lo que eran en los orígenes y lo que estaban destinados a ser. Pero lo han alcanzado en dos realidades distintas. Con estas palabras se lo explica Pedro a la joven: «tu presunción y la mía / han llegado a conclusión: / la mía solo en ficción / la tuya como debía»[42]. Él es ya una ficción, es una 'quimera'. Se ha salido del mundo para encontrar esa figura que puede ser todas en el escenario. El actor es la apoteosis de Proteo. El actor es consciente de que las vidas que representa no son las suyas, pero finge lo mejor posible para que no se note la separación entre vida y actuación. En el actor, como en Proteo, se conjugan unidad y multiplicidad, pues tiene la experiencia de vivir numerosas vidas siendo uno. Es uno y muchos, sin dejar de ser él mismo, es capaz de serlo todo. Vive múltiples destinos al mismo tiempo que consigue vivir su propio destino, como profetizó el Malgesí a Pedro de Urdemalas, el 'segundo Proteo'[43].

El mito de Proteo, dios de la metamorfosis y del cambio, será fundamental para explicar la búsqueda de la forma en el Arte. Como es disfraz y metamorfosis el Arte se encarna en Proteo. La metamorfosis es

---

[41] Cervantes, *Teatro completo*, *Pedro de Urdemalas*, vv. 2820-2831.

[42] Cervantes, *Teatro completo*, *Pedro de Urdemalas*, vv. 3033-3036.

[43] Como muy bien explica Stanislav Zimic, 1992, el protagonista «siempre ha tratado de moldear la vida en arte, pero sólo en este momento de profundo alumbramiento se convierte Pedro en auténtico artista, porque llega a comprender con claridad cómo puede ocurrir esa maravillosa metamorfosis, y así descubre un mundo donde la ilusión y la realidad pueden complementarse, fundirse armoniosamente», p. 286.

fundamental para la creación artística. El cambio de nombre de Pedro de Urdemalas a Nicolás de los Ríos significa también el triunfo del Arte en la vida. El actor mantiene una estrecha relación con el artista que busca dar una forma a la realidad. El actor, que imita numerosas vidas en el escenario, mantiene semejanzas con la invención de nuevos personajes que realiza el artista. Friedrich Nietzsche, cuando se pregunta qué es el actor, señala: «El problema del actor ha sido el que más me preocupó durante más tiempo; dudaba (y a veces aún dudo) si no es preciso abordar por este lado el peligroso concepto de 'artista'»[44]. El actor y el artista transmiten vivencia. El actor tiene que contagiarse de la existencia de otro, igual que el artista se sustancia en la existencia. El actor es un farsante, el poeta es un fingidor, el novelista presenta la verdad de las mentiras. La literatura cuenta metamorfosis.

Y no nos resultan extrañas estas correspondencias entre actor y artista en la obra que nos presenta Cervantes. La creación se entendía como un diálogo entre el hombre y Proteo para encontrar la forma, para hallar al personaje. El camino recorrido por este 'segundo Proteo' hasta encontrar su figura y llegar a ser 'una quimera', es similar a la senda recorrida por el artista para hallar la forma. Pedro de Urdemalas busca la forma encerrada en el interior de la piedra hasta que encuentra la forma ideal en la figura del actor. El artista también busca descubrir esa forma ideal que se esconde en la materia o en la realidad. Pedro se rebela contra la rutina cotidiana para vivir la aventura de la metamorfosis, donde puede vivirlo todo y ser todos los seres posibles. El Arte también se rebela contra el mundo para encontrar una forma más completa de la realidad. Esta ha sido la búsqueda de Pedro de Urdemalas y es la búsqueda del artista. El Arte busca una forma que dé unidad a la realidad cambiante y fugitiva. El escultor fija en tres dimensiones la figura del hombre, buscando un gesto y un movimiento para ofrecer una imagen acabada y perfecta. El escritor fija en el papel a unos seres mortales para convertirlos en personajes inmortales que nos hacen comprender

---

[44] Nietzsche, *La gaya ciencia*, p. 285. El filósofo alemán continúa con estas palabras: «La falsedad con la conciencia tranquila; el deleite de la simulación que se manifiesta como poder y arroja a un lado, desborda, y a veces borra, el llamado 'carácter', el íntimo anhelo de papel y de máscara de *apariencia*; un excedente de toda clase de capacidades de adaptación, que no saben satisfacer al servicio de la utilidad más inmediata y limitada; ¿no será todo eso, acaso, tan sólo el actor en sí?», en *La gaya ciencia*, p. 286.

la complejidad de la naturaleza humana. La sensación cambiante de la metamorfosis invade la creación del artista[45].

La vida de Pedro de Urdemalas, como la aventurera vida de Miguel de Cervantes, se ha desarrollado entre numerosas metamorfosis. El actor Nicolás de los Ríos es consciente de que las vidas que representa no son las suyas; las imita lo mejor posible para que no se note la separación. De la misma manera el escritor del *Quijote* se desprende de su propia piel para salir de sí mismo e introducirse en el cuerpo de sus personajes. Como el actor, el escritor puede ser rey, fraile, papa o matachín. El escritor vive experiencias ajenas, casi de la misma manera que el actor, al encarnar a los personajes. Escritor y actor se metamorfosean en otros seres. Los dos viven la aventura de la metamorfosis. De nuevo regreso a Elias Canetti para aclarar este pensamiento. En un discurso pronunciado en Múnich, que lleva el título «La profesión de escritor», el autor de *Auto de fe* explica con claridad el don de la metamorfosis que debe poseer a los escritores. Según Canetti, gracias a este don los escritores «deberían poder metamorfosearse en *cualquier ser*, incluso el más ínfimo, el más ingenuo e impotente»[46]. A través de la metamorfosis es posible percibir al ser humano detrás de sus palabras, acceder a lo más escondido, vivir la experiencia ajena desde dentro; por eso «sólo a través de la metamorfosis, [...], sería posible percibir lo que un ser humano es detrás de las palabras, [...], constituye el único acceso real al otro ser humano»[47]. De esta manera, concluye nuestro admirado Canetti, «la verdadera profesión del escritor consistiría, para mí, en una práctica permanente, en una experiencia forzosa con todo tipo de seres humanos, con todos, pero en particular con los que menos atención reciben, y en la continua inquietud con que se lleva a cabo esta práctica no mermada ni paralizada por

---

[45] Albert Camus explica el oficio del escultor de esta brillante manera: «La mayor y más ambiciosa de todas las artes, la escultura, se empeña en fijar en las tres dimensiones la figura escurridiza del hombre, en reproducir el desorden de los gestos a la unidad del gran estilo. La escultura no rechaza el parecido que, al contrario, necesita. Pero no lo busca en un principio. Lo que busca en sus grandes épocas es el gesto, la expresión o la mirada vacía que resumirán todos los gestos y todas las miradas del mundo. Su propósito no es imitar, sino estilizar, y aprisionar en una expresión significativa el furor pasajero de los cuerpos o el torbellino infinito de las actitudes», en *El hombre rebelde*, pp. 298-299.

[46] Canetti, *La conciencia de las palabras*, p. 357.

[47] Canetti, *La conciencia de las palabras*, p. 358.

ningún sistema»[48]. El escritor necesita metamorfosearse en sus personajes. Para transmitirnos las vivencias ajenas, el autor debe transformarse en la existencia de otros. La encarnación del Arte es Proteo, la vida de Pedro de Urdemalas se confunde con la de Miguel de Cervantes, el oficio de actor de Pedro de los Ríos mantiene una íntima relación de semejanza con el oficio de escritor de Cervantes.

[48] Canetti, *La conciencia de las palabras*, p. 358.

Capítulo 5

LA IMAGINACIÓN

En ese respecto, todos, y por cierto a menudo,
estamos un poco locos. Pero con una pequeña
diferencia: que los que lo son de veras lo están
más que nosotros, ya que hay que trazar la raya
en algún sitio. La verdad es que el hombre normal apenas existe. (Zosimov)[1]

En la ingeniosa paradoja de Franz Kafka sobre Sancho Panza, el escudero se caracteriza por su inteligencia para sobrevivir. Kafka cuenta
que no fue don Quijote quien leía y llenaba la imaginación con novelas
de caballerías, sino Sancho Panza. Y es él quien imagina la figura de don
Quijote, al descubrir que sería poseído por 'los demonios' que estas historias despertaban. Sancho podía observar al personaje y no padecerlo.
Sabía que la relación con 'los demonios' de la imaginación le llevaría a
ejecutar «las acciones más locas y absurdas», como haría después don
Quijote. Como el caballero es su creación, el escudero decide seguirlo
en las aventuras llevado «por un sentimiento de responsabilidad». Después Sancho puede retornar a la acostumbrada existencia. Sancho observa y, según algunos, nos deja la historia de don Quijote en una novela.
De esta manera se libera de 'los demonios' y se convierte en 'un hombre
libre'. Por el contrario, don Quijote se pierde en la locura. Franz Kafka
muestra cuán amenazadora puede ser la imaginación cuando se entre-
mezcla con la razón y la domina. Para liberarse de su total dominio,
es necesario establecer cierto distanciamiento. Porque si 'los demonios'
pueblan la imaginación, la razón se acerca a la locura. Nos sentimos prisioneros dentro de ella, es mejor contemplarla para no quedar atrapados.

---

[1] Dostoyevski, *Crimen y castigo*, p. 277.

Se necesita mucha precaución con la imaginación, se precisa contenerla para que no se imponga. Si los demonios vencen, el delirio domina la realidad. Sancho Panza descubre la fuerza de la imaginación, se libera de ella y es presentado por Kafka como un 'hombre libre'[2].

Casi cuatrocientos años antes que el autor checo, Michel de Montaigne ya se topó con las bases no racionales de la razón cuando descubrió la imaginación. En el primer volumen nos presenta el ensayo «El poder de la imaginación». El escritor ha experimentado la fuerza de la imaginación, que explica con las palabras que abren el ensayo: «"*Fortis imaginatio generat casum*", dicen los clérigos. Soy de esos que sienten muy grande la fuerza de la imaginación. A todos empuja mas sólo algunos caen. Su flecha me atraviesa. Y mi habilidad consiste en escapar de ella, no en resistirla».[3] Realiza un ejercicio similar al que, según Franz Kafka, hizo Sancho Panza. Él también se distancia de la imaginación, participa de ella como mero comparsa. La inteligencia está en acompañar a la imaginación y no caer bajo su fuerza. Desde el conocimiento propio y el de los demás, el autor francés explica el peligro que puede suponer el dominio de la imaginación, ya que conduce al individuo a llenar la realidad con las propias creencias. El problema está en que las personas «creen ver lo que no ven». Y el peligro que esto conlleva es enorme porque actúan de acuerdo con lo que creen, en lugar de darse cuenta de lo que sucede. Si nos dejamos llevar por la imaginación nos alejamos de la realidad y vivimos en nuestro propio mundo. También en el último de sus ensayos, «De la experiencia», Montaigne nos recuerda de nuevo los peligros de la imaginación con estas palabras: «Y además, ¿cuán importante no es el contentar la imaginación? En mi opinión, esta parte influye en todo, más al menos que cualquier otra. Los males más graves y corrientes son aquellos con los que nos carga

---

[2] El texto de «Sancho Panza» en encuentra en la colección de escritos y fragmentos póstumos de Franz Kafka, *El silencio de las sirenas*, p. 176. Al final del excelente ensayo de Walter Benjamin sobre Kafka se incluyen las diez líneas del apólogo sobre Sancho, «a little prose piece which is his most perfect creation», y el ensayista alemán termina con este comentario: «Sancho Panza, a sedate fool and clumsy assistant, sent his rider on ahead. Bucephalus outlives his. Whether it is a man or a horse is no longer so important, if only the burden is removed from the back», 1969, pp. 139-140. Solo recordar una de las citas más concurridas de Franz Kafka: «En realidad si el escritor quiere evitar la locura, no debería alejarse jamás de su escritorio, debería aferrarse a él con los dientes». Quizás por esta razón en la obra del autor checo Sancho es el único personaje presentado como 'hombre libre'.

[3] Montaigne, *Ensayos. Vol. I*, p. 142.

la imaginación. Este dicho español me gusta por varios motivos: "Defiéndame Dios de mí"»[4]. Es necesario defendernos de nuestro propio poder imaginativo, dominar la imaginación, no 'contentarla', 'escapar de ella'. De lo contrario, la razón se abandona a la imaginación, que ya no puede ser controlada, y es origen de los mayores 'males' o de los más 'corrientes'. Y somos nosotros los que los creamos porque nos dejamos vencer por la fuerza de la imaginación sin saber resistirla. El individuo es el responsable de obedecerla, de no oponer resistencia. Está obligado a defenderse de esta inclinación que 'a todos empuja'.

La imaginación puede extraviar la vida porque el individuo pierde el sentido de la realidad. El individuo puede transformar la realidad de acuerdo con su imaginación. Y, cuidado, la imaginación influye más que cualquier otra facultad humana en nuestra vida, siendo muy difícil resistirse a su fuerza. Está en nosotros, nos empuja. Para no ser prisioneros de su fuerza, necesitamos escapar, distanciarnos de ella. Una imagen, aquello que nos imaginamos, se pone en lugar de la realidad llevándonos a vivir en ese mundo imaginado. Trastorna la visión para hacernos ver lo que no es. Esa imagen se convierte en obsesión cuando extiende su espacio. Si la fuerza de la imaginación se apodera de nosotros por completo el delirio dominará nuestras acciones. La imaginación conduce al delirio. La realidad se transforma en irrealidad, la imagen se convierte en un principio absoluto. La amenaza de la imaginación nos puede conducir al abismo, ante ella debemos estar prevenidos para sujetarla o regularla. Es necesario el filtro racional para controlar la imaginación, de lo contrario se pierde la defensa. Un ser humano que lleva una vida muy normal, ocupado en las obligaciones cotidianas, que se relaciona con los demás, puede encontrarse, sin sospecharlo, muy cerca del delirio, muy próximo al abismo. Con la mirada puesta en el problema del mal, Rüdiger Safranski se pregunta por la importancia de la imaginación y presenta la siguiente explicación para que nos demos cuenta de su poder en nuestra conducta y en la sociedad:

> La libertad incluye la capacidad de cambiar la realidad según patrones que no proceden ellos mismos de la realidad, sino del mundo de lo imaginario. Y ¿qué es la imaginación? ¿Es solamente la materia a partir de la cual se hace el arte? El mundo imaginario es aquel que 'nos figuramos'. Es una imagen, la cual no constituye una copia, sino que se pone en lugar de la realidad. Es un segundo mundo, que, sin embargo, puede dirigir e

---

[4] Montaigne, *Ensayos. Vol. III*, p. 365.

incluso dominar la conducta en el primer mundo. La imaginación se sirve de materiales que forman parte de nuestra vida: experiencias, impresiones, observaciones, deseos. Pero lo que engendra a partir de ahí es algo nuevo, que puede oponerse también a la restante realidad[5].

Cervantes reflexiona con profundidad sobre la experiencia de la imaginación, sobre esta fuerza tan poderosa que conduce al delirio, ese impulso que hace creer lo que no es. Esta conversación entre realidad y delirio, entre razón e imaginación, permite al autor caracterizar al ser humano de manera plena. Los personajes, que analizo en este capítulo, representan distintas formas de los delirios individuales que reflejan la propia fragilidad. El personaje se muestra razonable en la mayoría de las acciones, su vida transcurre con normalidad. Sin embargo, una nueva situación, producto del azar, convierte al sujeto razonable en un ser perdido por la imaginación. Cervantes presta atención al momento en que la imaginación se impone a la razón, en que el delirio domina la realidad, a la fase en que se traspasa la frontera entre el comportamiento normal y el patológico. Se detiene en el cruce para después acompañarlo. En ese momento lo que engendra la imaginación es algo nuevo. Por un lado el personaje vive en el mundo real entregado a sus ocupaciones. Por otro, empieza a caer en su propio mundo imaginado. Es decir, se mueve entre la realidad y el delirio. Los dos elementos se entrecruzan incesantemente. El problema viene cuando la imaginación sobrepasa desmesuradamente la realidad, cuando la fuerza de la imaginación se convierte en elemento fundamental de las acciones. A partir de ahí lo que se manifiesta en la realidad es trasladado al delirio como totalidad. Y en esta ambigüedad se desarrollan las acciones de Carrizales en *El celoso extremeño* y de los duques en el *Quijote*. Estos personajes, aparentemente muy distintos, desarrollan las constantes vacilaciones entre la realidad y el delirio. Como consecuencia el episodio de los duques y la

---

[5] Safranski, 2010, p. 243. Recuerdo aquí que Isaiah Berlin, 2002, exponía la peligrosa potenciación de la imaginación en la entrega a los ideales de los europeos después del Romanticismo. Y lo hacía a través del ejemplo de don Quijote. Decía: «Ya no era posible persuadir a los hombres de que don Quijote no sólo era necio e ineficaz, y anticuado (cosa que nadie había negado), sino que, por haber desdeñado la posición histórica de su nación o raza, o clase estaba desafiando a las fuerzas del progreso y era debido a ello perverso y depravado. Los hombres se levantaron, como habían hecho siempre, y se convirtieron en mártires por sus creencias, y se les admiró por ello, y a veces les admiraron hasta los que les destruyeron», pp. 324-325.

novela ejemplar se convierten en una metáfora de la confrontación que existe entre un principio absoluto —impuesto por la imaginación— y la ambigüedad de la vida —la esencia de la realidad—, entre un orden totalizador y la libertad, entre la imposición del poder y la voluntad de ser libres. Cervantes no solo elabora el estado de perturbación, que produce una imaginación exagerada, para mostrar al lector unas formas de existencia que no resultan compatibles con la normalidad; sino que también expone los peligros de imponer a la realidad un proyecto imaginario que anularía el carácter venturoso de la vida, la incertidumbre, el azar, la libertad[6].

En la novela ejemplar el narrador nos informa brevemente del pasado del personaje. El joven Carrizales gastó el dinero heredado en pasatiempos y mujeres, después marchó a las Indias para hacer fortuna y, finalmente, ya rico, regresó a España para vivir tranquilamente de las rentas. A su vuelta de América da los pasos correctos para conseguir el objetivo de tranquilidad que desea para la vejez. Invierte el dinero convenientemente para que le produzca beneficios. Elige Sevilla como lugar apropiado para vivir, para que no le molesten los antiguos amigos extremeños. En este comportamiento observamos que el personaje posee un claro sentido de la realidad que guía todas las acciones. Como hombre razonable se dispone a pasar los años con la seguridad que le proporciona la renta del dinero y con la voluntad de disfrutar de su ocio. De los duques el narrador no necesita ofrecernos información de la vida pasada. Sabemos que viven retirados en su 'casa de placer' o 'castillo', y que disfrutan pasando el tiempo de ocio entretenidos con la caza y la lectura de los libros de caballerías. Podemos afirmar que Carrizales y los duques viven separados de la sociedad porque han perdido su función social. Uno por viejo y los otros por no estar ocupados en la Corte o

---

[6] Elias Canetti apunta esta importante novedad cervantina de experimentar con el delirio en la novela y dice: «La impronta platónica en *Cervantes* sólo resulta interesante allí donde toma un giro negativo. Cuando las ideas se vuelven delirio, pierden la insipidez, el carácter manido y falso que han ido adquiriendo a través de una tradición literaria demasiado larga. Ésta es, naturalmente, la grandeza de don Quijote: la idea y el ideal como delirio, que es rastreado y denigrado en todas sus consecuencias. Que el efecto resulte o no ridículo no es lo decisivo; a mí me parece terriblemente serio», en *Apuntes*, p. 764. Cervantes fue el primer novelista que supo captar el fuerte poder de la imaginación, capaz de llevar a personajes normales, que funcionan en la vida cotidiana, como Carrizales, al delirio, introdujo en el ser de la novela la experiencia del delirio, de la poderosa imaginación.

en las tareas de la guerra, como se suponía en la nobleza. El extremeño se refugia en Sevilla para alejarse de su pasado y de las viejas amistades; los nobles se recogen en sus posesiones para distraerse de las obligaciones pasadas. Uno y otros disponen de riqueza y de tiempo para llenar el ocio de acuerdo con su voluntad. Sin embargo, viven en un mundo en el que ya no tienen un puesto. Viven alejados de la historia. Solo se ocupan de ellos mismos. Necesitan encontrar un objetivo, que no pueden encontrar en la realidad, para llenar el tiempo de ocio. Buscan un estímulo que los saque de la rutina en que viven, un fin que dé sentido a la existencia y mueva la voluntad para la acción, un proyecto que ocupe la imaginación.

En la aparente tranquilidad en que vive Carrizales, en el discurrir de su sensata existencia aparece el deseo de casarse y tener descendencia «a quien poder dejar sus bienes». Como persona razonable se analiza a sí mismo para ver si con los demasiados años sería conveniente el matrimonio. El narrador nos explica el estado del personaje y el razonamiento con estas palabras:

> y con este deseo tomaba el pulso a su fortaleza, y parecíale que aún podía llevar la carga del matrimonio. Y en viniéndole este pensamiento, le sobresaltaba un tan gran miedo, que así se le desbarataba y deshacía como hace a la niebla el viento, porque de su natural condición era el más celoso hombre del mundo, aun sin estar casado, pues con sólo la imaginación de serlo le comenzaban a ofender los celos, a fatigar las sospechas y a fatigar las imaginaciones, y esto con tanta eficacia y vehemencia, que de todo en todo propuso de no casarse[7].

Es el razonamiento adecuado para una persona que se conoce a sí mismo y vive dentro de la realidad, sin ilusiones o deseos imposibles. Analiza muy bien su carácter, su presente situación, y descubre que la imaginación le puede conducir al abismo. La idea de los celos puede dominar completamente su imaginación. Su personalidad entera puede ser devorada por el 'diablo' de los celos. En él hay una disposición psicológica. Los celos son la esencia de su carácter, la imaginación es su debilidad ya que no la puede sujetar. Tiene miedo a que los celos lo posean, que la imaginación sea dominada por esa fuerza destructiva que lo arrastraría al precipicio. Tiene dudas de su fortaleza sexual para el

---

[7] Cervantes, *Novelas ejemplares*, p. 330.

matrimonio debido a la edad, pero sobre todo tiene miedo a la imaginación. Sabe muy bien que si los celos entran en la imaginación pueden
ocupar la memoria, el pensamiento, la voluntad, hasta convertirse en
una obsesión que domina la vida[8].Vemos, pues, que Cervantes nos presenta la imaginación no como una facultad que camina junto a la razón,
sino como el fundamento que la puede llevar al abismo. Carrizales sabe
que las 'imaginaciones' lo pueden destruir. El miedo que siente ante
su imaginación es un aspecto de la propia debilidad, sabe que cuando
domina puede conducir a perder el sentido de la realidad. Por lo tanto,
después del análisis Carrizales sigue a la razón y prefiere no casarse.
Quiere evitar los peligros, distanciarse del 'demonio' de los celos. El
personaje permanece contenido por la sentida advertencia. Por su parte,
los duques son menos conscientes de su estado vital y de la situación en
que se encuentran.Viven acostumbrados a los hábitos cotidianos. Ellos
pasan los días ocupados en entretenimientos como la caza y la lectura de
los libros de caballerías. Su vida discurre sin ningún deseo particular que
ocupe la voluntad. Se entretienen con las ocupaciones normales de la
nobleza ociosa. El castillo lo han convertido en casa de placer. Retirados
en estas posesiones solo les queda la nostalgia de los ideales del pasado,
representada por la lectura, y el recuerdo de la guerra, que se ha transformado en el ejercicio de la caza. Poco a poco se van quedando fuera
de la historia y no consiguen encontrar su verdadero papel en el tiempo
y en el espacio en la sociedad que viven. El ocio y el entretenimiento
llenan sus días. Es una existencia cortada de su contexto social, ya que
no poseen una función definida[9].

[8] Harry Sieber, 1992, al referirse al párrafo citado afirma: «La palabra clave es
imaginación y sus variaciones. De su imaginación vienen sus celos (imaginarios), su
modo de vivir y finalmente su boda.Vienen también su deshonra y muerte. Loaysa y
Leonor entran en este mundo imaginario de Carrizales sin saberlo», II, p. 20. Por su
parte, Ruth S. El Saffar, 1974,apuntaba: «The central figure is Felipe Carrizales, who,
like all the early main characters, is a solitary man inspired to action by imaginative
constructs through which he determines his own identity and that of those around
him. Carrizales, as the story begins, identifies jealousy as his chief characteristic and
allows this trait to control his choices in the course of the story», p. 41.
[9] Johan Huizinga, 1990, presentaba la nostalgia por el pasado y el anhelo de una
vida más bella que se daba en la vida aristocrática a través de tres caminos. El tercero
era descrito así: «El tercer camino que se dirige hacia un mundo más bello conduce
a través del país de los sueños. Es el camino más cómodo; pero marchando por él, se
permanece siempre a la misma distancia de la meta. Puesto que la realidad terrena
es tan desesperadamente lamentable y la negación del mundo tan difícil, demos a

La vida de Carrizales transcurre apaciblemente. Ha decidido no casarse y, así, ha contenido los posibles peligros de la imaginación. Sin embargo, el azar se introduce en la apacible existencia. Un día, cuando paseaba por las calles de Sevilla, ve asomada en un balcón a una doncella de unos doce o trece años, «y el buen viejo Carrizales rindió la flaqueza de sus muchos años a los pocos de Leonora»[10]. El azar y el deseo, que en muchas ocasiones gobiernan la vida, desvanecen las precauciones del viejo. El pasado razonamiento sobre los peligros del matrimonio comienza a desmontarse, pero debe ser sustituido por otro que le ofrezca defensa. Carrizales duda de su fortaleza sexual y tiene miedo al demonio de los celos. Busca un razonamiento perfecto que le permita controlar la inseguridad y la debilidad. Necesita encontrar un plan o un programa de acción que le proporcione tener todo controlado para que se sienta seguro. Ante la inseguridad personal, ante la incertidumbre del futuro, se intenta convencer a sí mismo con el siguiente razonamiento: «Esta muchacha es hermosa, y a lo que muestra la presencia desta casa, no debe de ser rica; ella es niña, sus pocos años pueden asegurar mis sospechas. Casarme he con ella; encerraréla y haréla a mis mañas, y con esto no tendrá otra condición que aquella que yo le enseñare»[11]. Este es el programa de acción del indeciso Carrizales. La inseguridad, sexual y social, arrastra al viejo a creer que puede construir una organización perfecta que le dará seguridad. Cree que puede restringir el horizonte, encerrarlo en unas murallas donde él pueda vivir seguro. Desea convertir el espacio de la existencia en una totalidad reducida que él pueda controlar. Es un plan basado en el poder de la riqueza y en el dominio absoluto de la joven muchacha. Ansía buscar un orden absoluto donde todo pueda ser controlado por él. En la imaginación concibe un proyecto que se convierte en una medida absoluta para ajustar la propia vida y para dominar a la joven. Con la riqueza puede convencer a los padres y complacer a la futura esposa. Con la experiencia de la edad puede controlar a la muchacha y modelarla a su manera. El miedo y la inseguridad le inducen a aferrar la vida a un orden total. El desorden le produce pavor. La idea diseñada en la imaginación apunta siempre al objetivo de dominio absoluto sobre la futura esposa y sobre todo lo que le rodea. Imagina un

---

la vida un bello colorido ilusorio, perdiéndonos en el país de los ensueños y de las fantasías, que velan la realidad con el éxtasis del ideal», p. 55.

[10] Cervantes, *Novelas ejemplares*, p. 330.

[11] Cervantes, *Novelas ejemplares*, p. 331.

control absoluto que anule cualquier pensamiento, sentimiento o deseo de Leonora. Carrizales es hombre, posee dinero y experiencia. Además, piensa que la joven es inocente y él puede modelarla a su manera. En estas condiciones él cree que su poder está garantizado[12].

Por otra parte, la ociosa vida de los duques se ve también sorprendida por el casual encuentro con don Quijote y Sancho Panza. Como los nobles han leído la primera parte del libro conocen muy bien al caballero y al escudero. La vida de ocio puede ser amenizada con la llegada de la nueva pareja. Ellos, como el celoso extremeño, necesitan también un proyecto. El narrador nos cuenta el cuidadoso plan diseñado por los duques para entretenerse de esta manera:

> [los duques] por haber leído la primera parte de esta historia y haber entendido por ella el disparatado humor de don Quijote, con grandísimo gusto y con deseo de conocerle le atendían, con presupuesto de seguirle el humor y conceder con él cuanto les dijese tratándole como a caballero andante los días que con ellos se detuviese, con todas las ceremonias acostumbradas en los libros de caballerías, que ellos habían leído, y aun les eran muy aficionados[13].

Los duques tienen un programa para llevar a cabo. Intentarán producir una nueva realidad para que don Quijote se sienta caballero andante. Los nobles transformarán sus posesiones en un escenario, los vasallos se convertirán en actores y ellos serán los directores del espectáculo. La vida se transmuta en una novela que se escenifica. Esta razonable intención tiene sus peligros porque los duques entran en el terreno de la representación y abandonan la realidad. La razón puede ser dominada por la imaginación cuando la realidad es sustituida por la ficción. Además, para realizar el programa los duques deben controlar e imponer sus órdenes a los que están a su alrededor. Como aristócratas fundamentan el ejercicio de su poder en el linaje.

A partir de la concepción del proyecto, los duques y Carrizales se mueven sin descanso, siempre ocupados en actualizar su programa. De-

---

[12] Es pertinente tener en cuenta la siguiente observación de Hannah Arendt cuando nos recuerda que la autoridad siempre demanda obediencia y que «la relación autoritaria entre el que manda y el que obedece no se apoya en una razón común ni en el poder del primero; lo que tienen en común es la jerarquía misma, cuya pertinencia y legitimidad reconocen ambos y en la que ambos ocupan un puesto predefinido y estable», 2003, p. 147.

[13] Cervantes, *Don Quijote de la Mancha*, II; 30, p. 877.

sean que los demás respondan de acuerdo con lo que ellos tienen en su imaginación. Necesitan establecer un espacio y dirigir a las personas conforme a su programa. La organización tiene que ser perfecta, total. Aspiran a que todo, desde el espacio hasta las personas, obedezca al programa diseñado por la imaginación. Desde este momento el mundo imaginario de los libros de caballerías y el mundo imaginario de los celos ocupan el lugar de la realidad. Si en un principio los duques quieren divertirse para ayudar a don Quijote, y Carrizales quiere proteger su matrimonio; poco a poco los nobles y el viejo irán configurando la realidad de acuerdo con su mundo imaginario. Ajustarán los hechos a una estructura configurada en su imaginación. Lo imaginario toma la dirección a los medios racionales. La fuerza de estas imágenes se convierte en obsesión y cuando se manifiesta en la realidad se refiere al delirio como totalidad. Los duques y Carrizales quieren transformar la realidad de acuerdo con su imagen. Utilizan el poder que les da el dinero y la nobleza para imponer el contenido de su imaginación al espacio, a las personas y a las cosas que les rodean. Quieren imponer un orden absoluto a la realidad. Para ello desean cerrar el paso al azar y a la contingencia. Deben protegerse de los imperativos que la vida real impone a los seres humanos. Todo debe estar a disposición de su programa. La imaginación diseña un universo cerrado e impone un control absoluto. Si triunfan, la realidad perdería su carácter de aventura, la incertidumbre y el azar no entrarían en las acciones humanas. Todo se sometería a la ejecución de su proyecto[14].

La casa construida por Carrizales es una fortaleza inexpugnable. Parece como si estuviera rodeada por una muralla protectora que la separara del mundo exterior. Dentro, el viejo se siente en 'su casa'. Con las numerosas puertas y pasillos la casa se convierte en la estructura inexorable de una vida atrapada, la de la joven Leonora, y en un mundo cerrado donde el viejo puede reinar. Entre convento y fortaleza el

---

[14] Y aquí anotamos la siguiente observación de Sigmund Freud, 1998, pertinente para los duques y para la sociedad del espectáculo contemporánea. Decía: «El ermitaño vuelve la espalda a este mundo y nada quiere tener que hacer con él. Pero también se puede ir más lejos, empeñándose en transformarlo, construyendo en su lugar un nuevo mundo en el cual quedan eliminados los rasgos más intolerables, sustituidos por otros adecuados a los propios deseos. Quien en desesperada rebeldía adopte este camino hacia la felicidad, generalmente no llegará muy lejos, pues la realidad es la más fuerte. Se convertirá en un loco a quien pocos ayudarán en la realización de sus delirios», en *El malestar de la cultura*, p. 25.

narrador la describe así: «cerró todas las ventanas que miraban a la calle y dióles vista al cielo, y lo mismo hizo de todas las otras de casa; [...] levantó las paredes de las azoteas, de tal manera que el que entraba en la casa había de mirar al cielo por línea recta, sin que pudiesen ver otra cosa; hizo torno que de la casapuerta respondía al patio»[15]. La perfecta geometría de pasillos y azoteas se asemeja a un laberinto vigilado por el viejo que la mujer recorre, pero no puede abandonar. La casa es la máxima ilustración de la coherencia del mundo imaginario del viejo celoso. Ha diseñado este lugar para convertirlo en impenetrable, ahí él se siente invulnerable. Ha buscado la perfección de un universo cerrado[16]. La inseguridad del personaje ha ideado una estructura sólida donde él puede caminar sin tambalearse. La necesidad de orden y de control absoluto crea un espacio hermético reflejo de su imaginación. La sensación de sentirse amenazado le lleva a cerrar las puertas con llaves como una manifestación de hostilidad hacia el exterior. La casa sería una proyección del sujeto que se siente atrapado por una imagen absoluta y totalizadora. Todo está bajo su estricto control. Por su parte, los duques van a convertir el castillo y sus posesiones en un escenario perfectamente adecuado para que don Quijote se sienta caballero andante. Los nobles serán los encargados de diseñar el espacio para que el caballero confunda ficción y realidad. Como consecuencia, se convierten en directores de escena con un control absoluto de todo. Los duques deben convertir a las personas en actores y, además, producir una nueva realidad de ficción con la apariencia de ser auténtica, desvanecer las diferencias entre la realidad y la representación. La imaginación impone una imagen nueva que los va alejando de la realidad. Sin el filtro de la razón la imaginación se acerca al delirio. Los celos convierten al personaje en un ser separado de la vida, lo mismo que la ficción que desean imponer los duques. Vivir en la imaginación es vivir una vida aparte[17].

---

[15] Cervantes, *Novelas ejemplares*, p. 332.

[16] Fue el estudioso Joaquín Casalduero, 1962, el primero que advirtió que en esta novela ejemplar «el protagonista es la casa» y que el viejo celoso «se hace sentir durante toda la novela por medio de la casa», p. 171. La casa es un elemento muy moderno que pone a Cervantes en relación con los castillos y conventos herméticos en el marqués de Sade o con los edificios de Kafka como laberintos o mundos cerrados para representar el ejercicio del poder.

[17] Respecto a la casa del viejo celoso apuntaba Alban K. Forcione: «We see numerous details of the Street-porch ('la casa puerta') —the hinges in the door, the loft, the turnstile, the ground, the mule— but only because they form the

Para llevar a cabo su programa, Carrizales y los duques necesitan tener un control absoluto sobre los demás. Las criadas y los vasallos deben seguir las órdenes de los dueños. Los vasallos deben colaborar en la teatralización de la realidad y las criadas deben obedecer en la casa para que don Quijote y Leonora estén contentos con la nueva realidad. El rico Carrizales utiliza el dinero para dominar a las criadas y esclavas que sirven a Leonora. Compra la voluntad con dinero, obsequiándolas con todo lo que desean para que se sientan alegres en el sometimiento. Como quiere que todas estén felices bajo sus órdenes, el extremeño

> Prometióles que les trataría y regalaría a todas de manera que no sintiesen su encerramiento, [...]. Prometiéronle las criadas y esclavas de hacer todo aquello que les mandaba, sin pesadumbre, con pronta voluntad y buen ánimo. Y la nueva esposa, encogiendo los hombros, bajó la cabeza, y dijo que ella no tenía otra voluntad que la de su esposo y señor, a quien estaba siempre obediente[18].

Carrizales convierte a la esposa, a las criadas y a las esclavas en objetos, no en personas. El ser humano queda cosificado. El dinero permite anular la voluntad de estas mujeres con regalos para que todas obedezcan. Aunque prometen ser obedientes, no deben notar el total dominio que el viejo ejerce sobre ellas, tienen que estar contentas. El rico extremeño les ayudará a obtener una felicidad moderada ofreciéndoles el regalo de la comida. Todas ellas colaboran con sus órdenes, todas ayudan a traspasar la obsesión demencial de los celos a la realidad, ellas se custodian y controlan[19].

---

principal part of the barriers that the seducer-deliverer must cross and because they form another unit of stifling confinement and dehumanization for a victim ('*un emparedado*') of the oppressor madness», 1982, p. 35. Por su parte, William H. Clamurro, 1997, señala que la prisión-fortaleza «rather, it all but takes on the role of a character, a presence that is both an integral part and a neurotic projection of Carrizales's own imagination», p. 164.

[18] Cervantes, *Novelas ejemplares*, p. 333.

[19] La liberalidad del viejo celoso ha sido formulada por Ruth S. El Saffar, 1974, con estas palabras: «The liberality which he shows with respect to her —the dowry, the dresses, the sweets, the gifts— is a reassertion of the earlier trait of free spending, for Carrizales gives to Leonora because he has converted her into a versión de himself», p. 41. Por su parte Stanislav Zimic, 1996, asegura que la liberalidad es «un burdo intento de una cínica compra del amor, del cariño paterno, de la amistad,

Sin embargo, ¿por qué obedecen? ¿Por qué colaboran en su propio encerramiento? ¿Por qué están contentas? Cervantes nos revela con claridad que una de las características de la naturaleza humana es la sumisión. El poder del viejo las somete con dádivas y entretenimiento; pero son también ellas mismas las que lo aceptan. Carrizales, que basa el poder en el dinero, les ofrece la seguridad de satisfacer los deseos más elementales, como son la comida y el entretenimiento. Así nos lo cuenta el narrador: «Sobrábales para esto en grande abundancia lo que habían menester, y no menos sobraba en su amo la voluntad de dárselo, pareciéndole que con ello las tenía entretenidas y ocupadas, sin tener lugar donde ponerse a pensar en su encerramiento»[20]. En iguales condiciones se encuentra Leonora que en nada se diferencia de ellas, ya que se entretenía lo mismo que las demás. Bien comidas, ocupadas completamente en tareas y entretenidas no pueden pensar en la falta de libertad a que las ha sometido el viejo extremeño. El poder del amo complace a las criadas que no sienten la situación de encerramiento, no se quejan de la sumisión que padecen. Los regalos y el entretenimiento paralizan la voluntad de las mujeres. De esta manera, anulada la voluntad les será difícil rebelarse contra la autoridad. Como no piensan, son sumisas, viven con tranquilidad y realizan las rutinas de cada día. En estas condiciones no toman conciencia del sometimiento que experimentan.

Las ideas desarrolladas en la imaginación del viejo extremeño se han desarrollado a la perfección en la realidad. Carrizales se siente seguro al ver como los días discurren de acuerdo con los planes de su imaginación. Con estas palabras lo confirma el narrador: «Todo lo cual era de grandísima satisfacción para el celoso marido, pareciéndole que había acertado a escoger la vida mejor que se la supo imaginar, y que por ninguna vía la industria ni la malicia humana podía perturbar su sosiego»[21]. El viejo percibe que ha sido capaz de configurar la realidad según la imagen. Cree que ha logrado poner lo que 'supo imaginar' en la realidad. Él había construido una imagen de la realidad, su proyecto de vida con Leonora, después ha configurado la realidad según su imagen y ahora comprueba satisfecho que todo concuerda, que 'había acertado'. La obediencia de las

---

del respeto, de la lealtad, en suma, del cuerpo y del alma de los demás»; como consecuencia, Leonora se convierte en una «mercancía codiciada y vendible», p. 256.

[20] Cervantes, *Novelas ejemplares*, p. 334.

[21] Cervantes, *Novelas ejemplares*, p. 334.

mujeres es completa y el orden es absoluto. Puede vivir tranquilo y seguro creyendo que la nueva realidad es impenetrable[22].

Los duques también logran que todos sus vasallos colaboren en la escenificación y ejecución de la representación que realizan ante don Quijote. Pero, si en la primera burla eran los criados los que tenían el control; luego serán los nobles lo que se encarguen de dirigir y ordenar de manera absoluta. Es necesario que todas las representaciones se ajusten a los libros de caballerías. Nadie mejor que ellos para llevarlas a cabo. Después de la burla del lavado de barbas «el duque dio nuevas órdenes como se tratase a don Quijote como caballero andante sin salir un punto del estilo como cuentan que se trataban los antiguos caballeros»[23]. Todos obedecen y colaboran para traspasar los libros de caballería a la realidad. Además, los duques desean que las trazas sean famosas, como pensaba don Quijote que serían sus aventuras en la primera salida. Los aristócratas abandonan la realidad para irse sumergiendo en la ficción y en la representación. Intentan configurar la existencia según la imagen de los libros de caballerías. La dedicación a esta tarea es absoluta. Ocupan su tiempo preparando estas representaciones. De tal manera que «para ellos no había veras que más gusto les diesen»[24]. El mundo imaginario se pone en lugar de la realidad. Los duques se sienten seguros, ocupados y entretenidos en una obsesión totalizadora para moldear la realidad. Por esta razón, cuando el canónigo observa el comportamiento de los duques les advierte con contundencia del peligro: «¡mirad si no han de ser ellos locos, pues los cuerdos canonizan sus locuras!»[25]. Poco a poco, según se van metiendo en actualizar su programa, los duques se acercan a la locura del caballero manchego. Ellos también viven en el mundo imaginario de los libros de caballerías. Su programa se convierte en una imagen desbordante para imponerla a los demás.

Hemos llegado a un punto donde comprobamos que el viejo celoso toma como responsabilidad el total control de su esposa y la completa

---

[22] Como muy bien explica Alban K. Forcione: «Carrizales confines his wife in the gloomy house with the same confidence with which he hoards his countless bars of gold in a bank, and his absurd belief in the effectiveness of locks and keys as a guarantee of predictability in human behavior is symptomatic not only of his tyrannical nature but also of the failure to discriminate between things and people in his life, a failure that is one of the most frightening forms of egotism», 1982, p. 63.

[23] Cervantes, *Don Quijote de la Mancha*, II; 33, p. 904.

[24] Cervantes, *Don Quijote de la Mancha*, II; 35, p. 929.

[25] Cervantes, *Don Quijote de la Mancha*, II; 32, p. 891.

dirección de la casa, de manera semejante a como los duques dirigen a los vasallos y escenifican la casa de placer. Ellos asumen la pesada carga de cualquier detalle y la vigilancia de todos los mínimos acontecimientos. Con una mente obsesionada por llevar a cabo un programa, anulan a los que están alrededor y los convierten en meros ejecutores de sus órdenes. Como consecuencia, no nos extrañaría que el absoluto poder se vuelva contra ellos. Así, podemos decir que Cervantes ofrece una patografía del poder y la fuerza a través de estos personajes. El poder es un sistema cerrado que para mantenerse necesita cosificar a las personas y someterlas. Surge de la imaginación subjetiva, de los duques y del viejo celoso, que representa un mundo de segundo grado que mediante el empleo de la fuerza se impone tautológicamente como la realidad. Al mismo tiempo, sabemos que para nuestro autor el ser humano es siempre libre, goza de su propia voluntad. Leonora y las mujeres obedecen al viejo celoso y los vasallos y don Quijote viven sometidos a los duques. Pero, el ser humano goza de voluntad libre. Si la sumisión es un hecho irrebatible, la resistencia siempre es posible. Para Cervantes resistir al poder es requisito necesario para ser persona.

Para configurar la realidad según la imagen es preciso que todos colaboren. Los vasallos y las criadas deben ayudar en la escenificación y en la ejecución de las órdenes. Cuando todo funciona de acuerdo a las imaginaciones de Carrizales y los duques, cuando todo sigue el curso por ellos ordenado, cuando su poder sobre los demás es absoluto; nadie se da cuenta del carácter ilusorio en que se basa el programa. Participan sin ser muy conscientes de su situación de oprimidos, de su falta de libertad, de la sumisión que padecen. Sin embargo, con el paso del tiempo es el mismo poder el que provoca el desafío. Cervantes muestra que cuando los duques y el celoso extremeño tienen un control absoluto sobre las personas y el espacio que los rodea, prestando excesiva atención a todos los detalles para imponerse a los demás, su poder absoluto se vuelve contra ellos. Los personajes van tomando conciencia de la sumisión en que viven, se dan cuenta de que su voluntad ha quedado paralizada, que no han tenido tiempo ni de pensar ni de expresar los sentimientos. Ahora ya es posible el desafío al poder para liberarse de la autoridad. Carrizales y los duques han dominado y custodiado la vida de los demás. Llega el momento en que los vasallos y las criadas, don Quijote y Leonora se resisten a ser controlados.

En los fuertes muros de la casa del celoso empiezan a aparecer grietas por donde se puede introducir «el sagaz perturbador del género humano»[26]. Las puertas acaban cediendo y Loaysa, el enemigo del orden total, entra en la casa para desencadenar las tensiones acumuladas durante el año de encerramiento. El estilo de vida y la ocultación que Carrizales ha impuesto a las mujeres se convierten en una provocación para el joven. Siente el deseo de asaltar ese poder absoluto. Al principio solo el esclavo negro colabora, engañado con la música que le ofrece el virote Loaysa. Pero después todas las mujeres se entregan a la tarea de ayuda para que el joven sevillano entre en la casa. En ese momento las mujeres son conscientes de la situación y lo manifiestan con claridad en estas palabras: «que después que aquí nos emparedaron, ni aun el canto de los pájaros habemos oído»[27] —dice una de ellas—. Reconocen el sentimiento abrumador de la propia sumisión, la opresión a la que han estado sometidas. Recuerdan el canto del pájaro y están convencidas de que pueden recuperar la libertad que ofrece el mundo exterior. Este pensamiento esclarecedor que expresa la mujer es imprescindible para iniciar el desafío a la autoridad del viejo.

La música catalizadora convierte el encerramiento en insoportable. La primera vez que escuchan a Loaysa tocar la guitarra, el sonido de la música tiene un fuerte efecto liberador, «tales sones hizo que dejó admirado al negro y suspenso al rebaño de las mujeres que le escuchaban»[28]. Las mujeres descubren el enorme poder de la música, sienten la voz de las cuerdas como un anhelo de vida. Los sones de la guitarra llegan a la profundidad del corazón y despiertan la paralizada voluntad. La música es liberadora, alcanza los más profundos sentimientos. La música les descubre que el estado de opresión bajo el que viven es insoportable[29]. El rebaño de mujeres que ha permanecido obediente, paciente y cauteloso está decidido a actuar, a recuperar la vida.

---

[26] Cervantes, *Novelas ejemplares*, p. 334.

[27] Cervantes, *Novelas ejemplares*, p. 347.

[28] Cervantes, *Novelas ejemplares*, p. 346.

[29] Por supuesto, en la obra se compara a Orfeo con Loaysa, y los dos han sido asociados. Pilar Berrio, 1998, nos habla de las semejanzas que entre ellos existen: «curiosidad y muerte, además de una tercera: homosexualidad, pueden encontrarse en el personaje de Loaysa y configurar así un Orfeo no exacto al arquetipo pero paradójicamente próximo», p. 247. También José Manuel Hidalgo, 2012, habla del papel raptor de Loaysa como figura órfica que intenta rescatar a Leonora de los avernos de Carrizales, al igual que hiciera Orfeo con Eurídice, ya que «ambos músicos utilizan su habilidad para seducir a las figuras que obstaculizan su odisea sentimental», p. 509.

La vida es libertad. El viejo ha cosificado a las mujeres, las ha obligado a desempeñar el papel de objeto y las ha convertido en sumisas como un 'rebaño'. Las ha alimentado para que obedezcan, las ha mantenido ocupadas para que no piensen, les ha proporcionado distracción para que estén contentas. Sin embargo, después de un año estas mujeres desean algo más que comida, trabajo y distracción. Quieren vivir, desean libertad, anhelan recuperar la dignidad. Por esta razón, las mujeres consideran que los polvos que van a dar al viejo para que duerma, son en realidad «polvos de vida para todas nosotras y para la pobre de mi señora Leonora»[30]. La manera autoritaria en que las ha tratado el viejo déspota ha provocado el agotamiento de las mujeres, que ya se sienten con fuerzas para rebelarse. La música es el elemento catalizador que las conduce a la acción para terminar con la autoridad. Es la llave que abre las puertas interiores, el sonido que despierta los sentimientos dormidos, los que han permanecido anulados durante un año. Las mujeres escuchan el canto de la copla que tiene estas palabras:

> Madre, la mi madre,
> guardas me ponéis,
> que si yo no me guardo,
> no me guardaréis[31].

Estos versos sopesados por las mujeres rompen la autoridad del viejo[32]. El rebaño se deshace. Las mujeres son dueñas de su voluntad. Son ellas mismas. Son individuos que exigen la propia singularidad con derecho a sentir, pensar y vivir cada una según su voluntad. La música les resulta imprescindible para manifestar su personalidad, para poder comportarse con libertad. Cuando un tiempo después escuchan de nuevo la música las mujeres «levantáronse todas, y se comenzaron a hacer pedazos

---

[30] Cervantes, *Novelas ejemplares*, p. 347.

[31] Cervantes, *Novelas ejemplares*, p. 357.

[32] Julia D'Onofrio, 2008, explica que la copla es la clave de la novela que «son palabras repetidas en un momento de trance desenfrenado»; para desde ahí interpretar el concepto de autoridad de esta manera: «Es curioso que sea una figura demoníaca, como la dueña, quien cante estas coplas. ¿Por qué el mensaje ejemplar de la obra está dicho por un personaje desautorizado, durante un baile lascivo, con coplas populares?... Descubrimos aquí una mirada compleja y cuestionadora al problema de la autoridad», pp. 37-38.

bailando»[33]. La vivencia de la música es tan fuerte que desemboca en el arrobamiento del baile. Es la revelación de la libertad. Les da las llaves para abrir el ser a la rebelión. Abandonan la conciencia del estado de sumisión para sentirse completamente libres. El baile es una muestra de desafío a la autoridad. Todas juntas bailan, están unidas. Las mujeres sienten cómo crece su fuerza, cómo comienzan a ser. El viejo, que pasa tanto tiempo dentro de su casa, desconoce la realidad que están viviendo las mujeres. La música devuelve la libertad después de haber sido anulada. Cuando sienten la música regresa la vida ya que transmite a las mujeres un sentimiento de plenitud que borra la autoridad[34].

Los duques no solo se quieren divertir, también desean que las representaciones sean perfectas y famosas. Este deseo de perfección y fama exige una autoridad completa sobre los demás que puede conducir a los duques a la obsesión. Todos deben obedecer, no debe existir error en la puesta en escena para que la representación pase como la realidad. Los duques disponen de la voluntad de todos los vasallos, así como de don Quijote y Sancho. Mientras todo vaya de acuerdo con sus órdenes, los demás no se dan cuenta de la rigidez del programa, del poder absoluto que ejercen sobre ellos. No son conscientes de la sumisión. Sin embargo, cuando algún vasallo traiciona el mandato de los duques, empieza a ser descubierto el carácter ilusorio del proyecto. El propósito de los duques es exagerado porque quieren traspasar el orden de los libros de caballerías a la imprevisibilidad de la vida.

El vasallo Tosilos rompe el orden que los duques quieren imponer y se salta el guión impuesto. Desobedece y decide no pelear contra don Quijote. El vasallo afirma su voluntad al no continuar con la burla que le había mandado el duque. Comienza la rebelión. Ante semejante desafío el duque «quedó suspenso y colérico en estremos»[35]. Terminada la burla muestra su ira al castigar al vasallo con «cien palos por haber contravenido a las ordenanzas»[36]. Todo, las personas y las circunstancias, debe estar bajo la esfera de poder de los nobles. Todos deben ser sumisos.

---

[33] Cervantes, *Novelas ejemplares*, p. 357.

[34] Elias Canetti apunta que la música es nuestro mayor consuelo y añade: «Su discurrir es más libre que todo lo que en general parece humanamente posible, y en esa libertad se halla la redención. Cuando más densamente poblada esté la Tierra y cuanto más mecánica sea la configuración de la vida, más imprescindible tendrá que ser la música», en *Apuntes*, p. 29.

[35] Cervantes, *Don Quijote de la Mancha*, II; 56, p. 1087.

[36] Cervantes, *Don Quijote de la Mancha*, II; 66, p. 1172.

Cualquier contrariedad exaspera y encoleriza al duque. La acción de Tosilos la considera una insubordinación que debe ser castigada. Pero el vasallo solo sigue la voluntad diciendo lo que quiere hacer. Se siente libre para expresar la propia manera de actuación. Expresa ante el poder su deseo inherente de ser libre. El duque impone la autoridad a través del castigo. Cuando el vasallo desafía al poder, el duque usa la violencia para atemorizar y, de esta manera, fuerza a que todos continúen obedeciendo y sirviendo su voluntad. Sin embargo, la desobediencia de Tosilos manifiesta la tendencia del hombre a la libertad y la rebelión contra el poder representado por el duque. Tosilos aspira a la libertad. Su acción puede ser castigada, pero no anulada la intención. Para Cervantes la libertad forma parte de la naturaleza humana, puede ser dominada en algunas ocasiones, pero siempre renace porque es indestructible. En todo ser humano siempre existe un deseo de dignidad y de libertad. Cuando se niegan estos dos elementos fundamentales, llega un momento en que el ansia de conseguirlos es desesperada e ilimitada[37].

Don Quijote siente el deseo de ser de nuevo dueño de su destino. El caballero andante percibe que la vida en la casa de placer o castillo ha estado regida por las órdenes de los duques, que no solo han transformado la realidad, sino que también han degradado los libros de caballerías en la representación. Cansado de la vida ociosa, don Quijote siente la responsabilidad de su destino: «yo pienso dejar presto esta vida ociosa en que estoy, puesto que no nací para ella pues, en fin, tengo de cumplir antes con mi profesión que con su gusto»[38]. No cabe duda de que don Quijote se siente oprimido al final de su estancia con los duques. Le ha faltado la libertad y el ejercicio de su voluntad, puesto que ha estado dominado por el poder de los duques. Por esta razón, el caballero andante siente la urgencia de salir de la casa ducal. Ya se resiste a continuar los gustos de los nobles. Nada más cruzar el umbral del castillo y pisar el campo, el caballero manchego se siente libre: «cuando se vio en la campaña rasa, libre y desembarazado de los requiebros de Altisidora, le

---

[37] Me permito extender la observación a los regímenes autoritarios del siglo XX donde vemos, en palabras de Claudio Magris, que: «El poder absoluto es inmovilidad, *rigor mortis*, impotencia; un autoritarismo eficiente debe permitir cierta dosis de movilidad, flexibilidad, incluso libertad, si realmente quiere reinar sobre los vivos y no solo sobre los muertos, momias y maniquíes paralizados por el terror, porque eso significa no reinar», en *Alfabetos*, p. 261.

[38] Cervantes, *Don Quijote de la Mancha*, II; 51, p.1050.

pareció que estaba en su centro»[39]. El caballero necesita vivir en libertad, desea continuar el vuelo de su ideal. En 'su centro' siente como crece su fuerza, con el caminar de su caballo se siente dueño de su destino. En ese preciso momento, una vez desembarazado de las ataduras y de las burlas, el caballero andante puede explicar a Sancho el significado de la libertad. Nadie mejor que quien se ha sentido oprimido puede entender lo que significa vivir en libertad «uno de los más preciosos dones que a los hombres dieron los cielos»[40]. La libertad se entiende como principio fundamental de la vida. En casa de los duques don Quijote ha estado cerca del sometimiento, del encerramiento; pero escapa porque no quiere vivir así por más tiempo. La exaltación de la libertad es el regreso a la aventura. La libertad elegida por el caballero manchego supone la victoria de la existencia sobre la actuación, de la realidad sobre el artificio, de la libertad sobre el sometimiento. Los duques se han caracterizado por un comportamiento extremo que les ha acercado a parecerse a don Quijote. La razón ha quedado superada por la imaginación, y su deseo de transponer la imaginación a la realidad les ha conducido a vivir en una segunda realidad, o en la irrealidad. De esta manera el narrador se introduce con la siguiente opinión de Cide Hamete sobre el comportamiento 'estremado' de los duques: «que tiene para sí ser tan locos los burladores como los burlados que no estaban los duques dos dedos de parecer tontos, pues tanto ahínco ponían en burlarse de dos tontos»[41]. Los duques han sobrepasado los límites del comportamiento racional, han puesto 'tanto ahínco' en las burlas que los han llevado al delirio, a la locura, a vivir fuera de la realidad, a vivir en su imaginación convirtiéndose en locos como don Quijote.

Leonora también va a defender su voluntad libre. Loaysa, el astuto engañador, logra entrar en el dormitorio de la joven esposa e intenta forzarla, pero sus fuerzas «no fueron bastantes a vencerla, y él se cansó en balde, y ella quedó vencedora, y entre ambos dormidos»[42]. La joven ha impuesto su voluntad al porfiado engañador rebelándose contra la fuerza masculina. Desde este momento la existencia de Leonora está unida a la voluntad de ser libre. El conflicto entre autoridad y libertad, entre sumisión y voluntad libre que ha planteado Cervantes en esta novela

---

[39] Cervantes, *Don Quijote de la Mancha*, II; 58, p. 1094.
[40] Cervantes, *Don Quijote de la Mancha*, II; 58, p. 1094.
[41] Cervantes, *Don Quijote de la Mancha*, II; 70, p. 1193.
[42] Cervantes, *Novelas ejemplares*, p. 362.

ejemplar se va resolviendo. Leonora vence a Loaysa, se sobrepone a la
condición de sumisa. Sin embargo, para que el triunfo sea completo, nos
queda que el viejo reconozca el error de haber impuesto un poder y un
orden absoluto a Leonora y a las criadas, y que el narrador nos confirme
el triunfo de la voluntad humana y de la libertad.

El control absoluto sobre los demás se vuelve contra el poderoso,
que normalmente no es muy consciente de lo que está sucediendo a su
alrededor, hasta que llega el momento final de los hechos consumados.
Carrizales ve a los dos jóvenes dormidos en la cama. Él estaba convencido de que las mujeres carecían de voluntad, de sentimientos, de pensamientos. La realidad se impone sobre el mundo imaginario del viejo
celoso. La realidad presenta al ser humano en su verdadera dimensión.
El viejo celoso admite su error y se culpa a sí mismo del desenlace. Se
ha equivocado y se da cuenta de hasta qué extremos le ha llevado su
imaginación. Estas son las palabras: «yo fui estremado en lo que hice,
así sea la venganza que tomaré, tomándola de mi mismo como del más
culpado en este delito»[43]. La vida en la casa se ha regido por unas órdenes y un control 'estremado' que han llevado a Carrizales a tener una
visión deformada de la realidad. Ha querido imponer el mundo de la
imaginación a la realidad humana. El poderoso no tiene conciencia de
los propios límites, y menos aún de lo límites de la imaginación. Cree
que todo lo puede controlar y acomodar a sus órdenes. Solamente el
desenlace le permite reflexionar. El celoso es el único culpable y pide
a los demás que así lo reconozcan. Las mujeres dejan de ser un rebaño
y se convierten en individuos, en personas singulares con derecho a
un destino. Leonora deja de ser niña para ser ya adulta. Todos gozan de
la voluntad libre que dignifica al ser humano. El narrador ratifica este
triunfo con las palabras que cierran la novela: «Y yo quedé con el deseo
de llegar al fin deste suceso, ejemplo y espejo de lo poco que hay que
fiar de llaves, tornos y paredes cuando queda la voluntad libre»[44]. El
hombre está unido a la existencia por 'la voluntad libre', la fuerza nunca
puede anularla. El principio fundamental de la vida es la voluntad libre[45].

---

[43] Cervantes, *Novelas ejemplares*, p. 366.
[44] Cervantes, *Novelas ejemplares*, p. 369.
[45] También Hannah Arendt, 2003, nos habla de una 'libertad interior' siempre
indestructible, ella es «el espacio interno en que los hombres pueden escapar de la
coacción externa y *sentirse* libres.[...] Las experiencias de la libertad interior son
derivativas, porque siempre presuponen un apartamiento del mundo, lugar en el

En la actuación de Carrizales y de los duques la imaginación se constituye en una fuerza poderosa. Ese 'segundo mundo' ha dominado la realidad. En su deseo de imponer lo imaginario han tenido que someter todo lo que les rodea, personas y espacio. Ellos fundamentan el comportamiento en el poder que se impone como objetivo un programa de dominio absoluto. La imaginación del poderoso destruye la realidad y anula la libertad. El celoso extremeño y los nobles actúan con 'tanto ahínco' y de manera tan 'estremada' que cuidan de todos los pequeños detalles en un obsesivo deseo de tenerlo todo bajo control. Convierten lo imaginario en el contenido principal de la vida, alejándose de la realidad. No ponen límites a su poder, tampoco a su imaginación. Y es aquí donde lo imaginado choca contra la realidad, donde el poder se encuentra con la rebelión. La libertad no se puede anular, la realidad no se puede sustituir. Las criadas y los vasallos, don Quijote y Leonora no quieren vivir en situación de sometimiento. Se liberan cuando son conscientes de la situación de encerramiento. Ni el dinero del rico extremeño, ni la fuerza de los nobles, ni la experiencia del viejo, ni el linaje de los aristócratas tienen poder para anular la voluntad humana. El personaje cervantino vive como ser humano, en esto consiste la victoria de don Quijote y Leonora. La vida es voluntad libre.

Michel de Montaigne avisaba sobre los peligros de la imaginación que podía llevarnos a «los males más graves y corrientes», ya que su poder era tan fuerte que las personas «creen ver lo que no ven». Sancho Panza también descubre, según Franz Kafka, que la fuerza de la imaginación podría llevarle a cometer 'las acciones más locas y absurdas'. En el *Persiles*, después de afirmar el supuesto Periandro que lo que ha contado es soñado, la presunta hermana Auristela responde que duda «si era verdad o no lo que decía». Mauricio explica la causa de la duda de la joven con el siguiente razonamiento: «Esas son fuerzas de la imaginación, en quien suelen representarse las cosas con tanta vehemencia, que se aprenden de la memoria, de manera que quedan en ella, siendo mentiras, como si fueran verdades»[46]. Carrizales y los duques han sido conducidos por la fuerza de la imaginación, algo que puede suceder a cualquier persona, incluso a la muy razonable Auristela. La imaginación es tan poderosa que sustituye a la realidad. Es tan peligrosa que nos hace

___

que se niega la libertad, para encontrar refugio en una interioridad a la que nadie más tiene acceso», p. 232.

[46] Cervantes, *Persiles*, p. 244.

creer la mentira como si fuera la verdad. Y está tan presente en nosotros que es difícil evitarla.

Imre Kertész, cuando reflexiona sobre el hombre contemporáneo y sobre la dificultad que tiene para sentirse satisfecho de la vida, nos ofrece estas palabras:

> el hombre está atado a la existencia por la voluntad, al mismo tiempo la existencia le resulta insoportable. A su ayuda acuden la imaginación, o para ser más preciso, sus representaciones que le permiten emprender el vuelo y superar la mera existencia; son, en general, ideas de objetivos, ideas de deseos, ideas de supuestos conocimientos[47].

Cuando no disfrutamos de una vida plena, o cuando vivimos aislados de los demás, o cuando nos encontramos fuera de la historia; es fácil dejarse arrastrar por la imaginación para 'superar la mera existencia'. Es aquí donde reside el peligro de llegar al delirio. Es necesario mantenerse en los límites, sujetar la imaginación. Eso es lo que distingue a los cuerdos. Porque vivir solamente en la imaginación no ofrece una base sólida para vivir en la realidad. Si nuestra imaginación es arrastrada por una idea hasta el exceso, nos condena al delirio como les ha sucedido al viejo celoso y a los ociosos duques.

---

[47] Kertész, *Diario de galera*, p. 118.

CAPÍTULO 6

LA NECESIDAD

> ¿De qué le serviría vivir? ¿Con qué fin? ¿En qué
> se emplearía? ¿Vivir para existir? Mil veces antes
> había estado dispuesto a sacrificar su existencia a
> una idea, a una esperanza, incluso a una ilusión.
> La mera existencia nunca le había bastado; siem-
> pre había deseado más[1].

Ananque, la necesidad, domina todo en el mundo griego. Jamás tuvo
un rostro. No se edificaron ni altares ni estatuas en su honor. Su imagen se presentaba como una red aprisionadora, invisible y poderosa,
que rodeaba las acciones humanas. Era una divinidad que no aceptaba
sacrificios. Homero nos presenta a sus tres hijas, las Moiras, hilando la
vida de cada individuo. La necesidad es un vínculo versátil. Es un fuerte
hilo que mantiene el todo dentro de los límites. Una presencia poderosa
que no se ve con claridad; pero que interviene en todos los asuntos. Los
hombres la sufren, también los dioses; pero con una gran diferencia. Los
dioses la sufren y la utilizan; mientras que los hombres solo la padecen.
Los héroes se afanan en llevar su vida más allá de lo necesario, se mueven
en el azar y en el desafío. No obstante, Aquiles contesta a Ulises en el
Hades que hubiera preferido ser guardián de bueyes al servicio de un
pobre campesino, antes que reinar sobre los muertos. Y Jasón se dirige a
los héroes sentados en los bancos de la nave con estas rotundas palabras:
«Pues la necesidad es común y comunes son las palabras para todos de
igual modo»[2].

---

[1] Dostoyevski, *Crimen y castigo*, p. 686.
[2] Apolonio de Rodas, *El viaje de los Argonautas*, p. 140. Muchos siglos después,
en el siglo xvi, Cesare Ripa presenta a la necesidad con la figura de una mujer que
sostiene un martillo en la mano derecha y un manojo de clavos en la izquierda.

La vida es ilusión, deseo, aventura. A pesar de las dificultades y peligros, el ser humano se afana en realizar sus proyectos, sus anhelos, sus
utopías. Sin embargo, la necesidad nos recuerda que toda experiencia es
limitada. Es posible llevar una vida sin límites, pero está expuesta a numerosos riesgos, y la vida es irreversible. La necesidad marca los límites
de las acciones humanas, debemos conocerlos para saber hasta dónde
podemos llegar en nuestra experiencia, otorgarle una forma personal.

En el siglo XVI, la mirada a lo circundante que realiza el humanista
no olvida la presencia de Ananque. El humanista comprueba la enorme distancia que existe entre el deber ser y el ser, entre la apariencia
y la realidad, entre las ilusiones y la vida cotidiana. Observa al hombre
entretenido en mundos ideales, en valores religiosos elevados, en perfec-
ciones inalcanzables, y comprueba que en ese camino ilusorio no percibe la verdad más evidente y cercana: el fundamento de la experiencia
humana es la necesidad[3]. Cuando el humanista observa las grandes ilusiones que agitan los deseos humanos, se sonríe. Es el gesto de la ironía.
Conoce muy bien la relatividad de las acciones y de los pensamientos.
La sonrisa desmitifica los falsos absolutos, descubre lo que se esconde
detrás de la apariencia para descubrir lo que somos. Se aleja de las falsas
pretensiones y de utópicas ideas para aferrarse a la propia existencia. Y lo
hace con humor, con ironía. No como un moralista que juzga al mundo
porque está convencido de su verdad y de su superioridad moral; sino
con una mirada de comprensión y amor a la condición humana. La sonrisa es necesaria porque el hombre ha olvidado, o no quiere reconocer
como principio de actuación, un elemento básico en la vida social y en
la conducta, tan cercano a lo cotidiano, tan ineludible, como es la necesidad. La vida en su totalidad cobra un mayor sentido si se introduce la
necesidad como fuerza motriz. Desde ahí el hombre se puede acercar a

---

Y de ella nos dice: «consiste la mentada necesidad en cierta condición que
conforma las cosas de manera que no pueden hacerse las cosas de otro modo,
atándonos y sujetándonos donde quiera que se encuentre con una especie de lazo
indisoluble. Por ello se parece al que lleva el martillo en una mano y en la otra los
clavos, entendiéndose por ello lo prefijado y lo obligatorio que entrañan nuestras
acciones», en *Iconología II*, p. 123.

[3] Necesidad entendida en el sentido más obligado e inevitable, tal como nos lo
ofrece la definición de Sebastián de Covarrubias: «lo que es fuerza; en castellano se
toma por la falta de lo que hemos menester, y necesario lo que es menester y es
forzoso».

la verdad y al conocimiento de sí mismo. La necesidad nos educa en la vida limitada[4].

Michael de Montaigne en «De la experiencia», anima al lector a aceptar la necesidad en todos los actos humanos. Si Sócrates es para el humanista francés el más sabio de los hombres y el modelo de comportamiento, el ensayo que repasa la experiencia humana comienza con estas palabras: «No hay deseo más natural que el deseo de conocimiento»[5]. Este deseo de conocer es el que se ha apoderado de Montaigne con la intención de acercarse a la realidad del hombre, de explorar la condición humana, de ofrecer la medida exacta de lo que somos. Y es ahí donde sitúa a la necesidad como centro. El ensayo se convierte en una meditación sobre la existencia que está guiada por la necesidad. Como consecuencia, la primera regla del conocimiento humano es la aceptación de la necesidad. Estas son sus palabras: «Nada puede nuestro ser sin esta mezcla [los bienes y los males], y es un aspecto tan necesario como el otro. El intentar forcejear con la necesidad natural es imitar la locura de Ctesilón que intentaba pelear a patadas con su mula»[6]. Cada uno de nosotros es múltiple, ambiguo, debido a que se enfrenta a una existencia también múltiple. El ser humano participa del bien y del mal. Siempre se muestra esta duplicidad y continuamente existe la opción de elegir entre la maldad y la bondad. Como consecuencia, la necesidad se convierte en inevitable. Montaigne advierte que el hombre que no tiene en cuenta la necesidad, puede sentirse arrastrado hacia la locura que le conduce al abismo o a un comportamiento disparatado. Desde la aceptación de la necesidad es posible el conocimiento y, a partir de ahí, el ser humano va construyendo un comportamiento con el que se acepta a sí mismo. En sus palabras la finalidad del conocimiento es la siguiente: «Componer nuestra conducta es nuestro oficio, no componer libros y ganar, no batallas ni provincias, sino el orden y la tranquilidad de nuestro proceder. Nuestra obra de arte grande y gloriosa, es vivir

---

[4] En este mismo sentido se expresa Arthur Schopenhauer: «Nada nos reconcilia más firmemente con la necesidad exterior e interior como su conocimiento preciso. Cuando hemos reconocido de una vez por todas nuestros fallos y deficiencias lo mismo que nuestras características buenas y capacidades, y hemos puesto nuestras metas de acuerdo con ellas, [...], entonces evitamos de la manera más segura y en la medida en que nuestra individualidad lo permite el sufrimiento más amargo, que es el descontento con nosotros mismos...», en *El arte de ser feliz*, p. 37.

[5] Montaigne, *Ensayos. Vol. III*, 337.

[6] Montaigne, *Ensayos. Vol. III*, p. 369.

convenientemente»[7]. El conocimiento se convierte en utilidad práctica, dirigido a conducir nuestra conducta. Esta es la responsabilidad del hombre. El ser humano debe encontrar códigos de conducta que le ayuden a vivir, por lo tanto debe alejarse de aquellos que él no puede seguir por ser demasiado arriesgados o elevados[8].

La indagación de Montaigne le ha llevado a conocer la medida del hombre: la necesidad que nos conduce a aceptar los límites. La obra de arte de la vida es la reconciliación entre el ser individual y la existencia. De esta manera es posible subordinar la vanidad —libros, batallas y victorias— al propio interés, que consiste en vivir convenientemente. Es importante no alejar la mirada de lo que es la existencia auténtica. No perderse en mundos ideales que acuden a la imaginación, pero que no ayudan a vivir mejor. El ser humano no vive de acuerdo con los altos ideales de los libros, sino con los valores que considera necesarios para la vida. El conocimiento, que otorga la necesidad, permite que el individuo se acepte a sí mismo como realmente es. Con las siguientes palabras concluye «De la experiencia»: «Las vidas más hermosas son, a mi parecer, aquellas que siguen el modelo común y humano, con orden, más sin prodigio ni extravagancia»[9]. En estas palabras encontramos un sentimiento de comprensión, de tolerancia, de respeto y de piedad por el ser humano y por la vida. Nada lo acerca más a los demás que el conocimiento de sí mismo. Pretende defender la vida común, la sencillez, la naturalidad, la relación con los demás. Es así como el individuo puede vivir en armonía consigo mismo, ser social con los demás y existir en concordancia con el mundo que le rodea. Montaigne desmitifica los valores superiores que adornan el comportamiento humano y establece la necesidad dentro de las fronteras de nuestras limitaciones[10].

---

[7] Montaigne, *Ensayos. Vol. III*, p. 392.

[8] Siglos después, Albert Camus habla de aquellos contemporáneos que solo ven en el mundo irracionalidad y falta de esperanza, de aquellos hombres para los que «todo es caos», para decirnos su posición: «El espíritu llegado a los confines debe emitir un juicio y emitir sus conclusiones. En este punto se sitúan el suicidio y la respuesta. Pero yo quiero invertir el orden de la búsqueda y partir de la aventura inteligente para regresar a los gestos cotidianos», en *El mito de Sísifo*, p. 41.

[9] Montaigne, *Ensayos. Vol. III*, p. 402.

[10] Harold Bloom, 2002, resume el ensayo con estas palabras: «"Of Experience", in its about forty pages, surveys both Montaigne's and the human condition. I cannot think of another essay, in the tradition that reaches from Montaigne to

En la 'vida hermosa' que don Quijote ha imaginado desde la lectura de los libros de caballerías no existe la aceptación de los propios límites. El hidalgo manchego decide alejarse del 'común humano' para entregarse a 'la extravagancia' de las aventuras de los caballeros andantes. La locura y la voluntad eliminan todos los posibles obstáculos que le va a presentar la realidad. Él es un hidalgo de aldea que tiene cincuenta años cuando decide ir a buscar aventuras. No quiere ser Alonso Quijano y se convierte en don Quijote. Como caballero se siente invulnerable, se rebela contra la contingencia y se libera de los imperativos de la necesidad.

Don Quijote va a utilizar por primera vez la palabra necesidad un poco antes de la segunda salida. El caballero ha pasado quince días en la casa entretenido con la conversación de los amigos. Cansado de la inactividad, el hidalgo manchego siente que tiene que iniciar nuevas aventuras. El narrador lo cuenta así:

> Es, pues, el caso que él estuvo quince días en casa muy sosegado, sin dar muestras de querer segundar sus primeros devaneos; en los cuales días pasó graciosísimos cuentos con sus dos compadres el cura y el barbero, sobre que él decía que la cosa de que más necesidad tenía el mundo era de caballeros andantes y de que en él se resucitase la caballería andantesca[11].

Don Quijote no puede dejar de observar ante los amigos que el mundo tiene necesidad de caballeros andantes. El hidalgo siente que los valores caballerescos se han degradado en la realidad que le rodea y, por lo tanto, él se ve obligado a restaurarlos. El problema es que a don Quijote no le preocupa saber si la sociedad quiere esos valores, ya casi desaparecidos —o que nunca han existido realmente—. Y, por supuesto, está claro que tampoco desea escuchar el consejo de los amigos. Cuando el hidalgo expone la necesidad que tiene el mundo de la caballería andante, también presenta ante el lector la necesidad que tiene el ser humano y la sociedad de un ideal, de unos valores, de unos objetivos. Aunque, es cierto, que en el caso del caballero se trata de un ideal literario[12]. Y don Quijote va a tomar el ideal como hilo

Freud, that so profoundly searches out the metaphysics of the self, and that so persuasively urges us to accept necessity», p. 45.

[11] Cervantes, *Don Quijote de la Mancha*, I; 7, p. 91.

[12] Johan Huizinga, 1990, señala que la vida aristocrática se propone vivir un sueño desde finales de la Edad Media, «el sueño de los antiguos héroes y sabios, del caballero y la doncella, de los pastores sencillos y satisfechos de la vida», p. 59. La nobleza,

conductor de su vida sin tener en cuenta la realidad circundante. La imaginación del hidalgo le representa como posible un ideal de vida que la experiencia se encargará de demostrar imposible. La locura le lleva a sentir la necesidad que tiene el mundo de los caballeros andantes y, por lo tanto, le conduce a vivir 'la obra de arte' que le ofrecen las novelas de caballerías dentro de la realidad. Sin embargo, como sabemos, la necesidad real del mundo no se identifica con la necesidad que percibe don Quijote para el mundo. El caballero andante presenta ante el lector los peligros de los altos ideales que se alejan de la realidad y que no tienen en cuenta la necesidad. La fidelidad a un ideal se convierte en un desafío a la realidad misma, que puede convertir al hombre en un mártir de su propia creencia[13].

Por su parte Sancho, en la segunda parte del *Quijote* y en la conversación que mantiene con su esposa, también expresa la necesidad personal que tiene de acompañar a su señor don Quijote. Estas son las palabras:

> Mirad, Teresa —respondió Sancho—, yo estoy alegre porque tengo determinado de volver a servir a mi amo don Quijote, el cual quiere la vez tercera salir a buscar las aventuras; y yo vuelvo a salir con él, porque lo quiere así mi necesidad...[14].

La necesidad de don Quijote es la del mundo, la de Sancho es la suya propia. El comportamiento de Sancho, hombre de la tierra, se ha guiado siempre por la necesidad individual. Ahora don Quijote quiere salir de nuevo y el escudero quiere acompañarlo, quizás, porque ha descubierto el sabor de la aventura, y la posibilidad de llevar una vida distinta que le aparta de la rutina cotidiana. Aunque como él mismo dice también tiene la esperanza de encontrar otros cien escudos, como

que poco a poco va abandonando sus obligaciones militares, se refugia en el mundo ficticio cuando vive en la corte o alejada en sus posesiones del campo.

[13] Isaiah Berlin, 2002, expone claramente los peligros de los altos ideales en un mundo tan torcido como el nuestro. En «La persecución del ideal» concluye: «Las utopías tienen su valor (nada expande tan maravillosamente como ellas los horizontes imaginativos de las potencialidades humanas), pero como guías a seguir pueden resultar literalmente fatales», p. 57, y añade respecto al sacrificio que exigen estos ideales: «de lo único que podemos estar seguros es de la realidad del sacrificio, la muerte de los muertos. Pero el ideal por el que mueren sigue sin hacerse realidad», p. 59.

[14] Cervantes, *Don Quijote de la Mancha*, II; 5, p. 663.

le sucedió en su primera salida, que le ayuden a resolver las necesidades más elementales. Sancho acepta la propuesta de su amo. Sacrifica la tranquilidad familiar por la aventura y por la ambición que ya se han posado en su personalidad.

La necesidad del mundo, la contingencia que rige las cosas humanas, se va a presentar a don Quijote en numerosas ocasiones a lo largo de la obra[15]. Pero, el momento más claro y significativo es cuando el caballero manchego baja a la cueva de Montesinos. La necesidad aparece representada en la figura de una de las compañeras de Dulcinea encantada. Al contar lo que vio en la cueva don Quijote asegura que «lo que más pena me dio de las que allí vi y noté» fueron las palabras que le dijo la compañera de su señora Dulcinea. Eran estas:

> Mi señora Dulcinea del Toboso besa a vuestra merced las manos y suplica a vuestra merced se la haga de hacerla saber cómo está, y que por estar en una gran necesidad,... sea servido prestarle... media docena de reales[16].

La realidad es imprevisible, y más para don Quijote. La circunstancia irrumpe para romper los esquemas imaginarios del caballero andante. El dinero es la necesidad del mundo, y lo es también de la encantada Dulcinea, el anhelo de la vida de don Quijote, la figura simbólica de su ideal. Hasta en ese ideal puro se han entrometido los tentáculos de la necesidad. Don Quijote queda admirado por el recado de la amiga de Dulcinea. Todavía sorprendido y con el recuerdo de las evidentes palabras, se dirige a Montesinos con la siguiente pregunta:

> ¿Es posible señor Montesinos, que los encantados principales padecen necesidad? A lo que él me respondió: Créame vuestra merced, señor don Quijote de la Mancha, que esta que llaman necesidad adondequiera se usa

---

[15] Nada más iniciar la primera salida el ventero le pide el dinero para pagar su estancia en la venta. Recordamos las palabras de don Quijote a Basilio: «Y que el casarse los enamorados era el fin de más excelencia, advirtiendo que el mayor contrario que el amor tiene es el hambre y la continua necesidad, porque el amor es todo alegría, regocijo y contento, y más cuando el amante está en posesión de la cosa amada, contra quien son enemigos opuestos y declarados la necesidad y la pobreza», *Don Quijote de la Mancha*, II; 22, p. 809. Por otra parte, recuerdo la tesis del importante libro de José Antonio Maravall, 1976, donde afirma que Cervantes «presentó su obra como una contrautopía, escrita a fin de oponerse a la falsificación de utopía que representaba el propio don Quijote», p. 10.

[16] Cervantes, *Don Quijote de la Mancha*, II; 23, p. 827.

y por todo se extiende y a todos alcanza, y aun hasta los encantados no perdona[17].

Esta irrebatible convicción, comunicada además por un caballero, penetra en el espíritu de don Quijote. Es un duro golpe que se presenta como un signo decisivo en el destino del héroe. Ahora vemos al caballero andante situado frente a una grave encrucijada en el camino de su historia. En él aparecen las dudas de si podrá seguir más tiempo manteniendo su ideal. El escepticismo ha minado su ánimo y el héroe comienza a replegarse sobre sí mismo. Ananque se presenta como esa poderosa red que rodea las acciones humanas. Ante esta triste evidencia, el caballero manchego solo puede entregar cuatro reales a la dama de Dulcinea. El héroe manchego acepta la contingencia, se convierte en cómplice de su tiempo para ver la verdad de la existencia de los demás. Se despoja del velo del ideal para descubrir la necesidad. Este es uno de los momentos más tristes de la vida aventurera de don Quijote. La verdadera necesidad del mundo se impone a la necesidad del ideal caballeresco que tanto ha tratado de resucitar el caballero manchego. A partir de este episodio don Quijote va a estar acompañado de la pesadumbre que le ha causado la evidencia de la necesidad dentro del mundo. La tristeza de la realidad destruye la ilusión del ideal. La necesidad de lo fáctico se impone a la necesidad del ideal[18].

---

[17] Cervantes, *Don Quijote de la Mancha*, II; 23, p. 827.

[18] En efecto, es verdad, como nos dice Javier García Gilbert, 1997, que el episodio de la Cueva de Montesinos es «el primer jalón de la muerte simbólica del caballero», p. 111; así como «la melancolía infinita que en el alma del hidalgo provoca la imagen de Dulcinea encantada, [...], proviene del hecho doloroso de que el espíritu no se alcanza, aunque se encuentra siempre, al parecer, al alcance de la mano», p. 121. Son oportunas las palabras de José Antonio Maravall, 1976, cuando afirma que Cervantes escribe el *Quijote* para poner de manifiesto que «el patrón de la utopía humanista, caballeresco-pastoril, que ha perdido su fuerza y su eficacia, puede convertirse en pura evasión a esferas de irrealidad, en un fracaso vital para quienes insistan en seguir su ruta», p. 29. Por otra parte, Norbert Elias, 1993, señala que «el pretérito asumió el carácter de una imagen utópica», p. 285, y al referirse en concreto al mundo pastoril nos dice que «las funciones que las imágenes ideales de la vida campestre amplían en la sociedad cortesana del *ancien régime*, ejemplifican el papel de una época anterior perdida como contrafigura de las coacciones y carencias del propio tiempo. Con el recuerdo de una sencilla vida campestre se asocia con frecuencia el ideal de una libertad y espontaneidad que existieron un tiempo y ahora se ha esfumado», p. 299.

A medida que don Quijote se va acercando a la muerte, va abandonando los ideales del caballero andante para aceptar morir como un hombre. Si la vida de don Quijote ha discurrido entre el ideal y la realidad en una dicotomía constante, ante el horizonte final de la muerte don Quijote consigue la armonía cuando se acepta a sí mismo para ser Alonso Quijano el Bueno. En el momento de la muerte el hidalgo se reconcilia con la realidad y acepta la existencia común. La realidad es imperfecta, pero es ahí donde formamos nuestra propia identidad. Y, como había escrito Montaigne, solo cabe aceptar la realidad siguiendo «el modelo común y humano». Y es que Cervantes, como el ensayista francés, también nos urge a aceptar la necesidad para evitar riesgos y peligros. Para uno «forcejear con la necesidad natural es imitar la locura de Ctesilón», para el otro la liberación de la necesidad conduce a don Quijote a la derrota.

La vida es paradoja. El ser humano se entrega al sueño de los altos ideales, desea la amistad con el otro, quiere alcanzar aquellos valores que conduzcan a la armonía universal. Sin embargo, no puede pasar por alto que los hombres se distinguen unos de otros y, como consecuencia, resuelven las diferencias con la violencia, hasta la lucha a vida o muerte. Al menos dos contradicciones a la vez. El todo armónico puede anhelarse, pero es difícil que se produzca en la realidad. La guerra también es paradoja. En la guerra aparecen claramente el dolor y la aniquilación; pero también el soldado experimenta profundos sentimientos al encontrarse en el límite de la muerte. El soldado en la guerra se aleja de la cotidianeidad para sentir el peligro, la vida se sitúa en el límite. No obstante, en la guerra la crueldad puede transformarse en caridad, la ayuda cambia en sufrimiento, el horror aparece junto al sacrificio por valores superiores, el impulso agresivo emerge junto al solidario. Se traspasan los límites y el soldado se desliza de un ámbito a otro. La guerra reúne siempre las dos caras de la moneda, es rutina y aventura, es dolor y exaltación. La hazaña y la abyección se muestran visibles. No en vano la guerra ha sido uno de los temas principales de la literatura. Pertenece a la épica por excelencia, pero también se encuentra en la comedia. Homero narra hechos heroicos, Aristófanes muestra lo absurdo. En las representaciones clásicas, como las de Homero, se manifiesta la noción de unicidad, la sensación de totalidad que encuentra el guerrero. Pero, siglos después, Eurípides pondrá en evidencia la desproporción entre el valor de Helena y las miles de muertes que había causado su belleza. El énfasis está ahora en la matanza, en los sacrificios inútiles[19].

En el Prólogo de la segunda parte del *Quijote*, Cervantes declara su orgullo por haber participado en la batalla de Lepanto y, ante la acusación de Avellaneda de que es viejo y manco, asegura con rotundidad que «si ahora me propusieran y facilitaran un imposible, quisiera antes haberme hallado en aquella facción prodigiosa que sano ahora de mis heridas sin haberme hallado en ellas»[20]. Don Miguel conoce muy bien la guerra, ha estado en ella, ha luchado con valentía. Ha disfrutado con la victoria y ha sentido el sufrimiento. Pero Cervantes comprende a los hombres y sabe que entre ellos la guerra y la vida del soldado mantienen una imagen épica que se aleja de la realidad. La guerra viene rodeada de un sentimiento mítico, casi religioso. También la victoria y la derrota adquieren sentido de vanidad en la vida del soldado. La guerra y la vida del soldado están muy familiarizadas con la ficción, con la idealización. Se hace por ello necesario descorrer el velo para ver con claridad. La guerra goza de un poder irresistible para confundirse con la vida, y la vida del soldado mantiene un enorme poder de seducción. Con frecuencia el soldado viene rodeado de virtudes heroicas, y la guerra ofrece la ilusión de vivir más plenamente. Cervantes va a mostrar la imagen épica para descubrir la realidad interior que subyace bajo el manto superficial. Va a descubrir lo que se oculta bajo el disfraz del traje de soldado, también desvela el contenido que esconde el lenguaje guerrero. Las dos dimensiones de la vida unidas en el mismo texto sirven para marcar los límites que conforman la realidad. Cuando el autor presenta la ficción junto a la vida, propone un esclarecimiento de la relación entre ficción y realidad, entre idealización y vida. De esta manera, unidas las dos caras apreciamos los límites que impone la contingencia[21].

---

[19] Sobre la guerra en los escritores clásicos ha escrito Claudio Magris estas iluminadoras palabras: «La guerra es épica por excelencia, no porque narre gestas heroicas sino porque, al menos en sus representaciones clásicas, se basa en el sentido de una totalidad y comprende y transciende al individuo e imagina la vida como una unidad en la que están comprendidas las laceraciones individuales, igual que los naufragios y las tempestades en la totalidad del mar. Incluso en guerra, las tropas aqueas y troyanas de la *Ilíada* no destruyen el orden y el sentido del mundo», en *Alfabetos*, p. 55.

[20] Cervantes, *Don Quijote de la Mancha*, II; p. 618.

[21] En relación con el carácter paradójico de la guerra, la Estulticia preguntaba: «¿No es acaso la guerra la semilla y el origen de las hazañas más celebradas? Pero ¿hay algo

Los vestidos guerreros son magníficos y vistosos. El traje del soldado realza la figura del hombre con los colores y las formas, con las armas y los otros distintivos de rango. En *La española inglesa* se presenta a una joven doncella que mira con admiración a Ricaredo, vestido tan distinguidamente con la ropa militar. Cuando se marcha el elegante soldado comenta la joven a las amigas:

> —Ahora, señoras, yo imagino que debe ser cosa hermosísima la guerra, pues aun entre mujeres parecen bien los hombres armados.
> —¡Y cómo si parecen! —respondió la señora Tansi—. Si no, mirad a Ricaredo que no parece sino que el sol se ha bajado a la tierra y en aquel hábito va caminando por la calle[22].

Las dos mujeres tienen inscrita una imagen del hombre de uniforme como figura heroica y como ideal de masculinidad. Son los hombres los que intervienen en la guerra y, por ello, reciben un reconocimiento prestigioso. La guerra constituye uno de los grandes vectores del poder masculino. La mujer es excluida, no puede acceder al rango de guerrero al ser considerada inferior. Se la reserva a un espacio contemplativo. Solo puede admirar al otro. El traje del soldado está orientado para poner en escena el ideal épico y el poder masculino. El aura que rodea al hombre uniformado entorpece la apreciación de la mujer, que se deja llevar por la apariencia exterior y por la idealización. El uniforme militar trastorna los sentidos de la mujer. No puede ver más allá del exterior. La joven queda seducida por la apariencia del atuendo, por la artificialidad del lucimiento, por el esplendor de los adornos, por la ostentación de poder que desprende. En el traje militar se destaca lo idealizado y lo bello. La guerra se convierte en 'hermosísima' y el soldado aparece como un nuevo Apolo en la tierra[23].

En la primera parte del *Quijote* un cabrero cuenta la historia del soldado fanfarrón Vicente de la Roca. Al presentarlo a los oyentes se de-

---

más descabellado que lanzarse a una lucha de este tipo sean cuales sean las razones, si las partes en contienda sacan siempre más daño que provecho?», Erasmo de Rotterdam, *Elogio de la locura*, p. 61.

[22] Cervantes, *Novelas ejemplares*, p. 238.

[23] Georges Bataille afirma: «Y el carácter de la guerra arcaica recuerda al de la fiesta. Y la misma guerra moderna no está nunca lejos de esta paradoja. El gusto por los vestidos guerreros magníficos y vistosos es arcaico. En efecto, primitivamente, la guerra parece un lujo», en *El erotismo*, p. 81.

tiene en los vestidos del soldado «porque ellos hacen una buena parte de esta historia». Después narra las hazañas y «arrogancias» de las que se rodeaba este soldado para ensalzarse a sí mismo. El soldado intenta que su narración se tome como vida real, que sus palabras sean actuación, para que los oyentes no descubran la verdadera vida del personaje. La suntuosidad del traje se corresponde con los adornos del lenguaje. Las palabras y el traje se convierten en un excelente disfraz. De tal manera que si para la mayoría de los vecinos es fácil descubrir el carácter fanfarrón de este personaje, no lo es para Leandra. La joven contempla al soldado y cae rápidamente en sus redes, entre otras cosas porque «enamoróla el oropel de sus vistosos trajes»[24]. De nuevo, quien solo ve el exterior del soldado y quien solo escucha sus palabras, aprecia lo superficial y se deja llevar hacia la idealización. El traje y la palabrería se superponen a la verdad y la envuelven en la ficción del engaño. Vicente de la Roca es un fanfarrón que ha enamorado a Leandra con sus 'oropeles'. Si se acerca la mirada se nota la falta de autenticidad de su existencia. El personaje está hueco por dentro, en él todo es banalidad. La lengua, como el traje, posee una gran fuerza ilusoria. El soldado usa el lenguaje para disfrazarse de heroicidad, pero detrás de la palabrería se ha ido revelando lo que oculta: mentira y vacuidad.

La representación épica de la guerra, los magníficos vestidos y la adornada palabrería de los soldados chocan con la necesidad que rodea la vida humana. La necesidad no deja que nos engañemos con ficciones y descubre lo que ocultan las palabras y los trajes. Es verdad que quien ve el uniforme del soldado o quien escucha las hazañas, puede creer que la guerra es hermosísima y el soldado es un héroe. Sin embargo, se olvida de que el soldado va a la guerra por necesidad y la guerra está sujeta a la contingencia. Cervantes nos acompaña en las idealizaciones para regresar a la realidad del soldado. Presenta las ilusiones para volver a la dura cotidianidad de la guerra. El ostentoso traje y el adornado lenguaje del soldado se descomponen en la realidad. El soldado va a la guerra por necesidad y la guerra sucede por necesidad.

En su accidentado camino don Quijote se encuentra a un joven de unos dieciocho o diecinueve años, alegre de rostro y ágil de su persona, que va cantando esta seguidilla

---

[24] Cervantes, *Don Quijote de la Mancha*, I; 51, pp. 578-579.

A la guerra me lleva
mi necesidad;
si tuviera dineros,
no fuera, en verdad.

El joven habla con el caballero andante y no le refiere las posibles
hazañas que encontrará en la guerra, sino que le cuenta la extrema pobreza en que vive, única razón por la que tiene que hacerse soldado. El
hidalgo manchego le consuela hablando sobre la honra que adquiere el
soldado; aunque no puede dejar de advertirle de «los sucesos adversos»
y sobre el peligro de la muerte, «el peor de todos», que esperan al soldado[25]. Es verdad que la guerra tiene una fuerza irresistible para confundirse con la vida, que mantiene un poder de seducción por la imagen
épica que desprende. Sin embargo, la verdadera realidad es que el joven
de rostro alegre se ve apremiado por la necesidad, debe liberarse de la
pobreza. Y el coste de la guerra es alto, el soldado siempre pierde algo.
Las consecuencias de su participación son imprevisibles, la 'adversidad'
puede llevarle a la muerte. Para Cervantes es evidente que detrás de los
hechos heroicos está la tragedia. La lucha, el odio, los instintos extremos
del hombre acompañan la vida del soldado. El joven, atrapado por la
pobreza, es víctima de la guerra. La guerra es necesidad. Él no quiere ir a
la guerra, siente que el coste es muy grande y las consecuencias son imprevisibles. El joven se convierte en una imagen de la guerra entendida
como necesidad. Está empujado a participar por su extremada pobreza.
No es libre en su decisión porque tiene que superar la necesidad vital
más elemental[26].

En *El Licenciado Vidriera*, Tomás Rodaja se va a encontrar en su camino con un capitán, que le anima a ir a Italia y convertirse en soldado.
Para convencerle el capitán «alabó la vida de la soldadesca». El narrador
resume lo que dijo el capitán; pero también añade lo que se olvidó decir:

---

[25] Cervantes, *Don Quijote de la Mancha*, II; 24, p. 834.
[26] Es importante notar la relación que se establece entre necesidad y libertad.
Hannah Arendt, 2003, explica el significado de necesidad para Aristóteles así: «En su
carácter de seres vivos, preocupados por la conservación de la vida, los hombres se
enfrentan a la necesidad y se ven arrastrados por ella. La necesidad debe superarse
antes de que pueda empezar una 'vida buena' política y solo se puede superar a
través del dominio. Es decir que la libertad de la 'vida buena' descansa en el dominio
de la necesidad», p. 187.

Puso las alabanzas en el cielo de la vida libre del soldado, y de la libertad de Italia. Pero no le dijo nada del frío de las centinelas, del peligro de los asaltos, del espanto de las batallas, de la hambre, de los cercos, de las ruinas, de las minas, con otras cosas deste jaez que algunos las toman y tienen por añadiduras del peso de la soldadesca, y son la carga principal della[27].

La vida del soldado es paradójica. Está situada, también, entre dos contradicciones. El narrador relata la vida cotidiana del soldado, 'la carga principal', junto a la imagen épica de libertad que representa la alabanza. Las dos dimensiones, la ficticia y la real, unidas para marcar los límites de la realidad. La vida del soldado mantiene una imagen épica. El soldado se siente atraído por la libertad. La vida soldadesca le ofrece la ilusión de vivir más plenamente, con mayor libertad que en la vida cotidiana. Se presenta como un espacio alejado de toda necesidad y contingencia. Sin embargo, el narrador presenta la otra cara de la moneda cuando muestra la verdadera realidad, la dura cotidianidad de la vida del soldado. Aparecen las dos dimensiones de la vida del soldado, una junto a la otra, la ilusión y lo contingente. No se disfraza la evidencia, no se suprime la realidad negando la necesidad. La vida del soldado y la guerra se exhiben en términos humanos[28].

Cervantes desenmascara las ilusiones inútiles de la vida para presentar los límites de la realidad. La imagen épica de la guerra, la plena libertad del soldado existen como ficción que mueve e ilusiona a los seres humanos. Al lado de esta imagen seductora se alza la dura realidad que vive el soldado y el dolor que provoca la guerra. Junto al soldado satisfecho se encuentra el joven pobre que va a la guerra por necesidad. La mirada de Cervantes no es victoriosa y triunfante, sino apegada a la contingencia, a la necesidad que envuelve las acciones humanas. La vida

[27] Cervantes, *Novelas ejemplares*, p. 268.

[28] No debemos olvidar el poder de atracción que ejerce la guerra sobre el individuo. Nos ayuda a entenderlo Georges Bataille: «La guerra determina el desarrollo del individuo más allá del individuo-cosa en la individualidad gloriosa del guerrero. El individuo glorioso introduce, por medio de una negación primera de la individualidad, el orden divino en la categoría del individuo (que de una forma fundamental expresa el orden de las cosas)», en *El erotismo*, p. 61. Cesare Pavese apunta dos días después de entrar Italia en la guerra: «La guerra realza el tono de la vida porque organiza la vida interior de todos en torno a un esquema de acción sencillísimo —los dos campos— y, sobreentendiendo la idea de la muerte siempre pronta, proporciona a las acciones más triviales un marchamo de gravedad sobrehumana», en *El oficio de vivir*, p. 193.

de los personajes cervantinos se ve sometida a una necesidad inexorable. El vistoso uniforme militar de Ricaredo, la vacua palabrería del soldado fanfarrón quedan desenmascaradas con el joven alegre y pobre que va a la guerra por necesidad.

Ha sido una constante en el pensamiento humano el volver la mirada hacia tiempos anteriores a la Historia, sentir la nostalgia del Paraíso. También, se ha pretendido encontrar motivos de nostalgia en una nueva vuelta al tiempo pasado. En definitiva, siempre un nuevo regreso a la Arcadia «donde todos hemos nacido». Sin embargo, con frecuencia se ha advertido de las consecuencias y de los peligros de vivir tan alejados del mundo real y de querer traspasar esos elevados valores a la realidad objetiva[29]. La urgencia de esta admisión permite una mejor comprensión de la derrota de don Quijote o del joven pobre que va a la guerra. Para aclarar este pensamiento me permito recordar la penetrante observación que proporciona Hannah Arendt en *La condición humana* de la exigencia de la necesidad. Para la pensadora alemana, el progreso realizado con los nuevos instrumentos de trabajo, no ha eliminado la condición de estar sujetos a las necesidades de la vida humana; pero sí ha hecho más difícil de observar y de recordar la presencia de la necesidad, porque no tenemos señales que nos la atestigüen claramente, como sucedía, por ejemplo, en la sociedad esclavista, donde cada día se afirmaba que 'la vida es esclavitud'. Ante esta dificultad de entender que la vida es necesidad, ella advierte: «El peligro es claro. El hombre no puede ser libre si no sabe que está sujeto a la necesidad, debido a que gana siempre su libertad con sus intentos nunca logrados por entero de liberarse de la necesidad»[30]. La presencia de la necesidad como guía del comportamiento individual y social introduce lo circundante y lo cotidiano para alcanzar una vida más humana. Aleja la mirada de los ideales utópicos, de la nostalgia de otros tiempos, para establecer el diálogo con los demás y reconocer el mundo que nos rodea. Supone la aceptación de la existencia humilde con sus grandezas y miserias. Si olvidamos que estamos sujetos a la necesidad perdemos libertad

---

[29] Comienza Arthur Schopenhauer *El arte de ser feliz* con estas palabras: «Todos hemos nacido en Arcadia, es decir, entramos en el mundo lleno de aspiraciones a la felicidad y al goce y conservamos la sensata esperanza de realizarlas», p. 29. Este recuerdo de nuestro nacimiento nos lleva a la constante nostalgia del Paraíso y al sueño de una sociedad perfecta; véase «La persecución del ideal» en el libro *El fuste torcido de la humanidad* de Isaiah Berlin, pp. 37-65.

[30] Arendt, 2005, p. 137.

y perdemos la capacidad de mirar lo cotidiano. Como bien dijo Albert Camus: «No separarse del mundo. No malogra uno su vida cuando la pone en contacto con el mundo. Todo mi esfuerzo, en todas las situaciones, las desdichas, las desilusiones, consiste en volver a reanudar los contactos»[31]. Es la aventura de regresar a los gestos cotidianos.

[31] Camus, *Carnets*, p. 22.

EPÍLOGO

> Los dos estaban pálidos y en los huesos, pero en esos rostros demacrados y enfermos despuntaba el alba de un nuevo porvenir, la perfecta resurrección en una vida nueva. El amor les había resucitado y el corazón de cada uno era un manantial inagotable de vida para el otro[1].

El peregrino anhela llegar al Paraíso. Nació allí y espera regresar de nuevo. Fue la primera casa. Es una presencia permanente, la nostalgia de una imagen que no puede olvidar. Solo en el Paraíso existió un asentimiento completo entre cuerpo y espíritu. Después de la expulsión, la vida se siente siempre como incompleta, algo falta. A pesar de los fracasos, el peregrino de todos los tiempos no ceja en recorrer el camino con la esperanza de llegar. Afirma Franz Kafka en los *Diarios* que un hombre que hace peregrinación:

> ha tenido durante su vida el presentimiento de la tierra de Canaán; pero es increíble que pueda ver esta tierra antes de la muerte. Esta última visión solo puede tener el sentido de ilustrar hasta qué punto la vida humana es como un momento incompleto… Moisés no llegó a Canaán, no porque su vida fuese demasiado corta sino porque era una vida humana[2].

Moisés no ignora que nunca llegará a la tierra prometida. Es imposible alcanzar la unidad perdida, la totalidad se disfrutó en el Paraíso. Un obstáculo insalvable impide llegar a Canaán. Como consecuencia, el peregrino se siente extraño en el mundo y ante sí mismo. El desarraigo es una herida que perturba al individuo del siglo XX. Ante esta experiencia dolorosa recuerda el Paraíso. Franz Kafka expresa el desarraigo de nues-

---

[1] Dostoyevski, *Crimen y castigo*, p. 693.
[2] Kafka, 1995, p. 347.

tra época sin esperanza. El individuo es un ser incompleto, escindido entre el yo y la vida. Le falta la unidad. El peregrino busca la unidad perdida y se dirige a Canaán. Persigue la ilusión de unidad[3].

Cuando Mefistófeles baja a la tierra para aconsejar a Fausto, se sorprende de que los hombres tengan demasiadas ilusiones, de que vivan más cerca del cielo que de la tierra. Conduciéndose así, la existencia resulta problemática porque nunca se encuentra en casa. Mefistófeles recomienda a Fausto que disfrute con las alegrías de la vida diaria, que sea 'un hombre entre hombres', que no se deje acompañar por la insatisfacción y se alegre de la vida. Este acercamiento a la tierra y al hombre se contempla en el aprendizaje del joven peregrino Wilhelm Meister. El individuo tiene que desarrollar la personalidad en todas sus potencialidades. La meta es alcanzar una identidad equilibrada en armonía con las demandas de la sociedad, de lo contrario el individuo y la sociedad se desmoronan o entran en crisis[4]. En una de las páginas finales de la novela nos encontramos al protagonista contemplando el arco iris. En ese momento el joven aprendiz es consciente de que vive plenamente el tiempo y el instante. Wilhelm Meister ensalza los hermosos colores de la vida, afirma que se niega a ver solo el fondo sombrío. Su mirada le lleva a reflexionar de la siguiente manera:

> El relato de una acción buena, la contemplación de un objeto armonioso, nos conmueven: comprendemos que no nos hallamos desterrados en esta tierra extraña, creemos que nos acercamos a la patria, hacia la cual tiende impaciente lo que tenemos de más íntimo, de más delicado[5].

El joven peregrino ha aprendido a estar en casa en el mundo. La relación bondadosa con los demás, la mirada atenta a la naturaleza, la

---

[3] Dice Albert Camus: «No hay ser por fin, que a partir de cierto nivel elemental de conciencia, no se agote buscando las fórmulas o las actitudes que darían a su existencia la unidad que le falta. [...] Es, pues, justo de decir que el hombre tiene la idea de un mundo mejor que este. Pero mejor no quiere decir entonces diferente, mejor quiere decir unificado», *El hombre rebelde*, p. 305.

[4] Con palabras de Miguel Salmerón en la introducción a la novela: «La novela intenta más bien hacernos conscientes de que el sujeto moderno solo obtendrá su liberación en cuanto sea capaz de entenderse a sí mismo como un complejo unificador de tendencias singulares (individuo) y relaciones sociales (ciudadano)», Goethe, *Wilhelm Meister*, p. 60.

[5] Goethe, *Wilhelm Meister*, p. 501.

contemplación de las cosas producen en él una intensa emoción. Es la sensación de unidad. Él no se siente un desterrado, no es un desarraigado. Experimenta la unión con la naturaleza, consigo mismo y con los demás. Siente la armonía entre el yo y el mundo. La contemplación del arco iris ilustra la lección final de sus años de aprendizaje. El peregrino no quiere llegar a Canaán, sino que camina hacia la 'patria', hacia la casa. Wilhelm afirma la posibilidad de ser feliz en la tierra, de vivir con intensidad el momento, de sentirse unido a la naturaleza y a la sociedad. En la realidad existe la belleza, basta con mirar y sentir el color verdadero del arco iris. La grandeza de la vida está al alcance de cualquiera, necesita saber contemplar el amor que puede darse en una buena acción humana. Al sentir la belleza del mundo, el individuo satisface el anhelo de unidad. El peregrino contempla la belleza de lo real y se siente en armonía con el mundo. En la belleza del mundo todo, —naturaleza, hombres, objetos—, se transforma en motivo de amor[6].

La vida solo puede redimirse de los errores con el retorno de la belleza y con la presencia del amor. Si desaparecen estos dos elementos el mundo entra en crisis, pierde su orientación y se dirige al desorden. La presencia de la belleza y del amor nos lleva hacia un mundo mejor, nos conduce hacia una vida unificada. *Los trabajos de Persiles y Segismunda* es el testamento literario de Miguel de Cervantes porque es la afirmación de la vida humana a través de la belleza y del amor que representan los dos protagonistas. En el corazón de todo hombre hay un ansia de belleza y un deseo de amor. Es preciso reconocer la naturaleza del hombre y la belleza del mundo[7].

En las tierras septentrionales Persiles y Segismunda están divididos, son seres incompletos. Desde el Norte tienen que peregrinar a Roma para alcanzar la comunión absoluta. Toda la novela es el movimiento de los amantes que caminan en pos de la unidad. Cuando los protagonistas

---

[6] Son pertinentes estas palabras de Albert Camus: «El arte, al menos nos enseña que el hombre no se resume tan solo en el orden de la naturaleza. El gran Pan, para él, no ha muerto. Su rebeldía más instintiva, al mismo tiempo que afirma el valor, la dignidad común a todos, reivindica obstinadamente, para saciar su hambre de unidad, una parte intacta de lo real cuyo nombre es la belleza», *El hombre rebelde*, p. 321.

[7] En el *Persiles* Cervantes se propone mostrar en su arte de la novela la idea «de un verdadero *romano* libro de entretenimiento cristiano», como sostiene Francisco Márquez Villanueva, 2005, con la intención de «representar un viaje espiritual hacia la perfección de una fe y un amor simultáneamente vividos», p. 40.

salen de su tierra, Persiles expresa con claridad su situación presente y su destino: «Mi hermana y yo vamos llevados del destino y de la elección a la santa ciudad de Roma, y hasta vernos en ella, parece que no tenemos ser alguno, ni libertad para usar de nuestro albedrío»[8]. Estas palabras ilustran la posición intermedia del hombre. Por un lado, está situado en la luz —vivió en el Paraíso—; por otro vive dentro de las tinieblas —experimentó la Caída—. Disfruta de una condición doble, ya que puede vivir tanto en las tinieblas como en la luz. Persiles y Segismunda quieren vivir en la luz. Disfrutan de una voluntad libre que no tiene restricciones. Son libres para elegir y han decidido recorrer el largo camino hacia Roma, la ciudad de la luz. Los peregrinos asumen el destino del *homo viator* cristiano. Al principio los dos protagonistas 'no tienen ser alguno'. Tienen que ir al encuentro del ser, realizar una progresión desde las tinieblas hasta la luz. En Roma las tinieblas y la oscuridad han desaparecido, la ciudad no es otra cosa que luz. Persiles y Segismunda alcanzarán el ser definitorio, la anhelada unidad, la deseada armonía[9].

Persiles y Segismunda abandonan la oscuridad para ser inundados de luz. Pero para llegar a la luz es preciso recorrer entre tinieblas un camino plagado de adversidades. Los personajes se encuentran separados de un mundo que les es hostil. Necesitan esforzarse hasta la extenuación, sufrir castigos para llegar al goce final. Su voluntad es irreductible a las circunstancias de su destino. Las pruebas aparecen a cada paso para que vayan siendo superadas. Algunas son tan terribles que los acercan a los límites de la muerte. Así lo expresa la protagonista: «Esta nuestra peregrinación, hermano y señor mío, tan llena de trabajos y sobresaltos, tan amenazadora de peligros, cada día y cada momento me hace temer

---

[8] Cervantes, *Persiles*, p. 125.

[9] En *El Banquete* cuenta Aristófanes que los hombres primitivos eran esféricos. Las espaldas y los costados eran circulares, tenían cuatro brazos y cuatro piernas. Corrían dando volteretas. Se encontraban felices porque disfrutaban de la perfección del círculo. Zeus los castigó por su soberbia desmesurada. Les cortó en dos. De esta manera, los hombres divididos sintieron la nostalgia de la unidad originaria, anhelaban la mitad perdida, deseaban fundirse en un único cuerpo. Si quiere ser feliz se impondrá como tarea buscar la mitad perdida. Zeus para compensar al hombre le concedió a Eros. Es el *deseo* que mueve a cada alma a buscar su complemento. Señala Rüdiger Safranski, 2010, que para Platón —y después para el neoplatonismo— la armonía de las esferas y el orden matemático de la música constituyen un modelo intuitivo de lo que el hombre puede hacer de sí mismo. Por lo tanto, «el verdadero arte de la vida consiste en conducir a un equilibrio armónico el cuerpo y el alma, junto con las partes de la misma: la razón, el sentimiento y el valor», p. 36.

los de la muerte»[10]. La peregrinación es una aventura. Los peligros de la noche y de la muerte tienen que ser salvados si quieren llegar a Roma. Las tinieblas y la luz se van sucediendo para que exista la esperanza del éxito. Se pasa del dolor a la alegría, de la desesperanza a la esperanza, de la violencia a la tranquilidad, de la separación al reencuentro. Tienen que vencer las tinieblas para llegar a la luz total.

Persiles y Segismunda están enamorados. El amor recorre toda la novela, llena a los personajes, es el principio salvador. En la región de las tinieblas y de la oscuridad el único don perfecto es el amor. Es el impulso que posibilita enfrentar la vida en todas las dificultades. Es un don superior a todo, la fuerza que alegra la vida, el único capaz de superar las adversidades. El amor reunifica al individuo y al mundo dividido. Cuando se enamora Persiles lo expresa de esta manera: «...y fueron creciendo en ti las partes que te hicieron amable; vílas, contemplélas, conocílas, grabélas en mi alma, y de la tuya y de la mía hice un compuesto tan uno y tan solo, que estoy por decir que tendrá mucho que hacer la muerte en dividirlo»[11]. Ni siquiera la muerte puede destruir el amor. No obstante, existen muchas adversidades y trabajos hasta llegar a la completa unidad del ser. Cuando ya pasan todas las pruebas, los protagonistas quedan purificados y pueden casarse. Las tinieblas se transforman en luz. Unidos por el amor resplandece la luz. Nace una nueva vida. El amor ha podido reunir las dos partes separadas y alcanzar la plenitud en la unidad. El amor puede saciar nuestra hambre de unidad. El amor triunfa, la *harmonia mundi* se restablece. Persiles y Segismunda se sienten en armonía con el mundo que los rodea, desde la naturaleza hasta la sociedad. Alcanzan un sentimiento de plenitud[12].

[10] Cervantes, *Persiles*, p. 176.
[11] Cervantes, *Persiles*, p. 185.
[12] San Pablo en su *Epístola a los Corintios* exalta el amor, el mismo amor que llevaba a Dios a sacrificar a su único hijo. Amor es perfección, es nuestra cualidad sobresaliente. Amor es plenitud, es tan completo como será la contemplación de la luz de Dios al final de los tiempos. Es gracias al amor que Dios está dentro del ser humano. En la tierra es el don perfecto. Pero para alcanzar el amor es necesario recorrer un camino. En el camino de Pablo a Damasco contemplamos la llegada de la gracia de Dios. Aprendemos que la vida se divide en dos. Antes de Él los hombres estaban en las tinieblas, después de Él alcanzan la luz. Cuando la gracia entra en nosotros se juntan las dos partes separadas de nuestra existencia. Con el amor se alcanza la unidad con Dios «Aunque hablase las lenguas de los hombres y de los ángeles, si no tengo amor, solo soy un bronce que resuena, un címbalo que retumba. Y si tuviera el don de la profecía y conociera todos los misterios y toda la ciencia; o si tuviera la plenitud de la fe, una

La peregrinación busca la redención. Si el amor redime a los personajes, lo mismo sucede con la belleza. En la obra de Cervantes encontramos una exaltación de la belleza. La belleza es esencial en el mundo. Para el cristiano representa la presencia de Dios en la tierra, es su más clara manifestación. La belleza física de Persiles y Segismunda representa la perfección. Cuando pasean por las calles o recorren los caminos sus caras brillan y quienes los contemplan quedan iluminados. La belleza transforma lo que toca y llega a convertir la necesidad en objeto de amor. La contemplación de la belleza restablece la armonía con el mundo. Ellos reciben y desprenden luz. Los demás personajes contemplan a los jóvenes protagonistas con admiración y al mirarlos se dan cuenta de la belleza de la creación. Después de mirar detenidamente la hermosura de Auristela, las mujeres «hallaron todas un todo a quien dieron por nombre Perfección sin tacha, y los varones dijeron lo mismo de la gallardía de Periandro»[13]. Cuando los miran las mujeres y los hombres alcanzan un momento de plenitud, recuperan la totalidad perdida ya que la belleza trae una percepción del todo del mundo. Los personajes superan un camino lleno de crueldad y violencia, la llegada a Roma representa el triunfo de la belleza indestructible[14].

Hannah Arendt, que tuvo un conocimiento profundo de la Antigüedad y del mundo contemporáneo, que analizó los totalitarismos del siglo XX y las causas del Holocausto, cuando hablaba sobre la crisis política y cultural de su tiempo nos avisaba sobre lo que no debemos olvidar:

la belleza es la manifestación misma de la indestructibilidad. La fugaz grandeza de la palabra y de la obra puede permanecer en el mundo siempre que esté unido a lo bello. Sin belleza, es decir, sin esa gloria radiante en que se

fe que transportara a los muertos, si no tengo amor, no soy nada. Y si diera a los pobres todos mis bienes, y entregara mi cuerpo a las llamas, si no tengo amor, todo ello de nada serviría» (I *Corintios* 13, 1-5), en *Sagrada Biblia*.

[13] Cervantes, *Persiles*, p. 287.

[14] También en las *Etiópicas* nos encontramos con la belleza de Clariclea: «su juvenil belleza sobrepasa a la de las demás, hasta el punto de atraer hacia sí todas las miradas, [...], nadie puede reprimir de volver hacia ella la cabeza y el pensamiento, como si fuera una estatua, modelo de belleza» (p. 161). Y al final de la novela nos encontramos con la *harmonia mundi*, cuando el pueblo adivina el feliz desenlace con el matrimonio de Teógenes y Clariclea «las cosas más contrarias se unieron en perfecta armonía; la alegría y el dolor se asociaron en unión indisoluble; la risa se mezcló con las lágrimas, el drama más sombrío se transformó en fiesta feliz; reían a la vez que lloraban, [...]», Heliodoro, p. 473.

manifiesta la inmortalidad potencial en el mundo humano, toda vida humana sería fútil y la grandeza no podría perdurar[15].

También Albert Camus, testigo moral de la Europa destruida, que analizó la desmesura de las ideologías y se enfrentó al nihilismo de su tiempo, recuerda la función de la belleza para restaurar la riqueza que se manifiesta en la condición humana. Así lo formula:

> Manteniendo la belleza, preparamos ese día de renacimiento en el que la civilización pondrá en el centro de su reflexión, lejos de principios formales y de los valores degradados de la historia, esa virtud viva que cimenta la común dignidad del mundo y del hombre, y que tenemos que definir ahora frente a un mundo que la insulta[16].

La contemplación de la belleza produce un inmenso fervor, una elevada emoción, una intensa sensación de identidad, que nos une con todo lo que nos rodea. La mirada al arco iris o a la belleza de Persiles y Segismunda nos une a la naturaleza y a las personas que están cerca de nosotros.

Enfermo, tocado por la imagen de la muerte, después de recibir la extremaunción Cervantes empuña la pluma para escribir en la dedicatoria al conde de Lemos estas emocionadas palabras: «el tiempo es breve, las ansias crecen, las esperanzas menguan, y con todo esto, llevo la vida sobre el deseo que tengo de vivir»[17]. Este es uno de los legados de nuestro admirado escritor en El Persiles: las ganas de vivir, el amor a la vida. Cervantes presenta en su última novela la harmonia mundi cimentada en el amor y en la belleza. Y avisa al lector contemporáneo de la necesidad que tiene el mundo de recuperar la belleza y de sentir el amor. Si el amor y la belleza perduran, la harmonia mundi permanece entre nosotros. La luz triunfa sobre las tinieblas.

[15] Arendt, 2003, 334.
[16] Camus, El hombre rebelde, p. 321.
[17] Cervantes, Persiles, p. 45.

BIBLIOGRAFÍA

ALCIATO, *Emblemas*, ed. S. Sebastián, Madrid, Akal, 1985.

APOLONIO DE RODAS, *El viaje de los Argonautas*, ed. C. García Gual, Madrid, Editora Nacional, 1983.

ARENDT, H., *Entre el pasado y el futuro. Ocho ejercicios sobre la reflexión política*, trad. A. Poljak, Barcelona, Península, 2003.

— *La condición humana*, trad. R. Gil Novales, Barcelona, Paidós, 2005.

ARGULLOL, R., *Aventura. Una filosofía nómada*, Barcelona, Acantilado, 2008.

BATAILLE, G., *Teoría de la religión*, trad. F. Savater, Madrid, Taurus, 1998.

— *El erotismo*, trad. A. Vicens, Barcelona, Tusquets, 2000.

BENJAMIN, W., *Iluminations. Essays and Reflections*, New York, Schocken Books, 1969.

BERLIN, I., *El fuste torcido de la humanidad. Capítulos de historia de las ideas*, trad. J. M. Álvarez Flores, Barcelona, Península, 2002.

BERRIO, P., «Loaysa: visión cervantina de un mito», *Anales cervantinos*, 34, 1998, pp. 243-253.

BLOOM, H., *Genius. A Mosaic of One Hundred Exemplary Creative Minds*, New York, Wether Book, 2002.

BORGES, J. L., *Obras completas. II*, Barcelona, Emecé, 1989.

— *Obras completas. III*, Barcelona, Emecé, 1989.

— *Obras completas. IV*, Barcelona, Emecé, 1996.

CALCRALF, R. P., «Structure, Symbol and Meaning in Cervantes's *La fuerza de la sangre*», *Bulletin of Spanish Studies*, 58, 1981, pp. 197-204.

CAMUS, A., *Carnets, 1, 2*, trad. Eduardo Paz Leston, Madrid, Alianza, 1963.

— *El hombre rebelde*, trad. Josep Escué, Madrid, Alianza, 2003.

— *El mito de Sísifo*, trad. Esther Benítez, Madrid, Alianza, 2004.

CANETTI, E., *Apuntes 1973-1984*, ed. J. J. del Solar, Barcelona, Galaxia Gutenberg, 2000.

— *El juego de ojos*, trad. A. Sánchez Pascual, Madrid, DeBolsillo, 2005.

— *La conciencia de las palabras*, trad. J. J. del Solar, México, Fondo de Cultura Económica, 1994.

— *La lengua absuelta*, trad. I. Díaz, Barcelona, Muchnik Editores, 2001.

— *Masa y poder*, trad. H. Vogel, Barcelona, Muchnik Editores, 2000.

CASALDUERO, J., *Sentido y forma de las «Novelas ejemplares»*, Madrid, Gredos, 1962.

CERVANTES SAAVEDRA, M. de, *Don Quijote de la Mancha*, ed. F. Rico, Barcelona, Crítica, 1998.

— *La Galatea*, ed. F. López Estrada y M. T. López García-Berdoy, Madrid, Cátedra, 1995.

— *Los trabajos de Persiles y Segismunda*, ed. J. B. Avalle-Arce, Madrid, Castalia, 1969.

— *Novelas ejemplares*, ed. J. García López, Barcelona, Crítica, 2001.

— *Teatro completo*, ed. F. Sevilla Arrollo y A. Rey Hazas, Barcelona, Planeta, 1987.

CICERÓN, M. T., *Sobre los deberes*, ed. y trad. J. Guillén Cabañero, Madrid, Alianza, 1989.

CLAMURRO, W., *Beneath the Fiction: the Contrary Worlds of Cervantes's «Novelas ejemplares»*, New York, Peter Lang, 1997.

COVARRUBIAS, S. de, *Tesoro de la lengua castellana o española*, ed. M. de Riquer, Barcelona, Alta Fulla, 1989.

D'ONOFRIO, J., «"En cárcel hecha por su mano". Rastros de la emblemática en *El celoso extremeño»*, *Cervantes*, 28.2, 2008, pp. 19-40.

DOSTOYEVSKI, F. M., *Crimen y castigo*, trad. J. López-Morillas, Madrid, Alianza, 1999.

DUMCHEN, S., «The Function of Madness in *El Licenciado Vidriera»*, en *Cervantes's «Exemplary Novels» and the Adventure of Writing*, ed. M. Gerlich and N. Spadaccini, Minneapolis, Prisma Institute, 1989, pp. 99-123.

ECKERMANN, J. P., *Conversaciones con Goethe*, Barcelona, Océano, 1965.

ELIAS, N., *La sociedad cortesana*, trad. Guillermo Hirata, México Fondo de Cultura Económica, 1993.

ELLIOTT, J. H., *España y su mundo 1500-1700*, trad. A. Rivero Rodríguez, Madrid, Alianza, 1991.

— *España, Europa y el mundo de ultramar (1500-1800)*, Madrid, Alianza, 2009.

EL SAFFAR, R. S., *Novel to Romance. A Study of Cervantes's «Novelas ejemplares»*, Baltimore, Johns Hopkins University Press, 1974.

ERASMO DE ROTTERDAM, *Elogio de la locura*, ed. y trad. P. Rodríguez Sanchidrián, Madrid, Alianza, 2003.

— *Enquiridion. Manual del caballero cristiano*, ed. y trad. P. Rodríguez Sanchidrián, Madrid, Católica, 1995.

— *Obras escogidas*, trad. Lorenzo Riber, Madrid, Aguilar, 1956.

ESTÉVEZ MOLINERO, A., «La (re)escritura cervantina de Pedro de Urdemalas», *Cervantes*, 15, 1995, pp. 82-93.

FAULKNER, W., «Discurso», en *Discursos Premios Nobel*, trad. Juan Gabriel López Guix, Barcelona Alpha Decay, 2008, pp. 66-68.

FORCIONE, A. K., *Cervantes, Aristotle and the «Persiles»*, Princeton, Princeton University Press, 1970.

— *Cervantes and the Humanist Vision: A Study of Four «Exemplary Novels»*, Princeton, Princeton University Press, 1982.

FREUD, S., *El malestar de la cultura*, trad. L. López Ballesteros, Madrid, Alianza, 1998.

GARCÍA GILBERT, J., *Cervantes y la melancolía. Ensayos sobre el tono y la actitud cervantinos*, Valencia, Alfons el Magnanim, 1997.

GITLITZ, D. M., «Symmetry and Lust in Cervantes's *La fuerza de la sangre*», en *Studies in Honor of Everett W. Hesse*, ed. W. C. McCrary and J. A. Madrigal, Lincoln, Society of Spanish and Spanish-American Studies, 1981, pp. 113-122.

GOETHE, J. W. von, *Fausto*, trad. J. M. Valverde, Barcelona, Planeta, 1980.

— *La vida es buena. Cien poesías*, trad. J. L. Reina, Madrid, Visor Libros, 1999.

— *Los años de aprendizaje de Wilhelm Meister*, trad. M. Salmerón, Madrid, Cátedra, 2008

— *Poesía y verdad*, trad. R. Sala, Barcelona, Alba, 1999.

GONZÁLEZ MAESTRO, J., *La escena imaginaria. Poética del teatro de Miguel de Cervantes*, Madrid/Frankfurt, Iberoamericana/Vervuert, 2000.

— *Las ascuas del Imperio. Crítica de las «Novelas ejemplares» de Cervantes desde el materialismo filosófico*, Vigo, Academia del Hispanismo, 2007.

GOYTISOLO, J., *El bosque de las letras*, Madrid, Alfaguara, 1995.

HELIODORO, *Etiópicas*, trad. E. Crespo Güemes, Madrid, Gredos, 2011.

HERRERA, F. de, *Anotaciones a la poesía de Garcilaso*, ed. I. Pepe y J. M. Reyes, Madrid, Cátedra, 2001.

HIDALGO, J. M., «El engaño del sentido ocular en la *Novela del celoso extremeño*: Pigmalión y Narciso», *Revista de Estudios Hispánicos*, 46, 2012, pp. 505-525.

HOMERO, *Odisea*, ed. J. Alsina, trad. F. Gutiérrez, Barcelona, Planeta, 1980.

HUIZINGA, J., *El otoño de la Edad Media*, trad. J. Gaos, Madrid, Alianza, 1990.

KAFKA, F., *Aforismos*, trad. A. Kovacsics, Barcelona, DeBolsillo, 2006.

— *Diarios (1910-1923)*, trad. F. Formosa, Barcelona, Tusquets, 1995.

— *El silencio de las sirenas. Escritos y fragmentos póstumos*, trad. J. J. del Solar, Barcelona, DeBolsillo, 2005.

KEIGHTLEY, R., «Monipodio's Realm», en *Essays in Honor of Robert Brian Tate*, edited by Richard A. Cardwell, Nottingham University of Nottingham Monographs in Humanities, 1984, pp. 48-65.

KERTÉSZ, I., *Diario de la galera*, trad. A. Kovacsics, Barcelona, Acantilado, 2004.

KRISTELLER, P. O., *El pensamiento renacentista y sus fuentes*, trad. F. Patán López, México, Fondo de Cultura Económica, 1993.

KUNDERA, M., *El telón. Ensayo en siete partes*, trad. B. de Maura, Barcelona, Tusquets, 2005.

LAMPEDUSA, G. T. di, *El Gatopardo*, trad. F. Gutiérrez, Madrid, Alianza, 2004.

LUCKÁCS, G., *Teoría de la novela*, trad. J. J. Sebreli, Buenos Aires, Ediciones Siglo Veinte, 1966.

LUCRECIO, *De la naturaleza de las cosas*, trad. Abate Marchena, Madrid, Cátedra, 1990.

MAGRIS, C., *Alfabetos. Ensayos de literatura*, trad. P. González Rodríguez, Barcelona, Anagrama, 2010.

MARAVALL, J. A., *Utopía y contrautopía en el «Quijote»*, Santiago de Compostela, Pico Sacro, 1976

— *La literatura picaresca desde la historia social. (Siglos XVI y XVII)*, Madrid, Taurus, 1987.

MÁRQUEZ VILLANUEVA, F., *Cervantes en letra viva. Estudios sobre la vida y la obra*, Barcelona, Reverso, 2005.

— *Moros, moriscos y turcos de Cervantes. Ensayos críticos*, Barcelona, Edicions Bellaterra, 2010.

MONTAIGNE, M. de, *Ensayos. Vols. I, II, III*, Ed. y trad. D. Picazo y A. Montojo, Madrid, Cátedra, 1998.

NIETZSCHE, F., *El viajero y su sombra*, trad. C. Vergara, Madrid, Edaf, 2006.

— *La gaya ciencia*, trad. C. Greco y G. Groor, Madrid, Akal, 2011.

OROZCO, E., *El teatro y la teatralidad en el Barroco*, Barcelona, Planeta, 1969.

ORTEGA Y GASSET, J., *Meditaciones del Quijote. Ideas sobre la novela*, Madrid, Austral, 1976.

PARKER, A. A., *Los pícaros en la literatura. La novela picaresca en España y en Europa (1599-1753)*, Madrid, Gredos, 1971.

PAVESE, C., *El oficio de vivir. 1935-1950*, trad. A. Crespo, Barcelona, Seix Barral, 2008.

PAZ, O., *La llama doble. Amor y erotismo*, Barcelona, Seix Barral, 1993.

PESSOA, F., *Libro del desasosiego*, trad. Perfecto E. Cuadrado, Barcelona, El Acantilado, 2002.

PETRARCA, F., *Obras I. Prosa*, ed. F. Rico, Madrid, Alfaguara, 1978.

PICO DELLA MIRANDOLA, G., *Discurso sobre la dignidad del hombre*, en *Humanismo y Renacimiento*, ed. P. R. Sanchidrián, Madrid, Alianza, 2007.

PLATÓN, *El banquete*, trad. C. García Romero, Madrid, Alianza, 1989.

REAL ACADEMIA ESPAÑOLA, *Diccionario de autoridades*, Madrid, Gredos, 1984.

RICAPITO, J. V., *Cervantes's «Novelas ejemplares». Between History and Creativity*, West Lafayette, Purdue University Press, 1996.

RILEY, E. C., *La rara invención. Estudios sobre Cervantes y su posteridad literaria*, trad. M. C. Llerena, Barcelona, Crítica, 2001.

RIPA, C., *Iconología*, trad. J. Barja y Y. Barja, Madrid, Akal, 1987.

ROSALES, L., *Cervantes y la libertad*, Madrid, Sociedad de Estudios y Publicaciones, 1960.

ROUSSET, J., *Circe y el pavo real. La literatura del barroco en Francia*, trad. J. Marfá, Barcelona, Acantilado, 2009.

SÁBATO, E., *España en los diarios de mi vejez*, Barcelona, Seix Barral, 2004.

SAFRANSKI, R., *El mal o el drama de la libertad*, trad. R. Gabás, Barcelona, Tusquets, 2010.

Sagrada Biblia; Versión directa de las lenguas originales, ed. E. Nácar Fuster y A. Colunga Cordero. Madrid, Biblioteca de Autores Cristianos, 1966.

SCHOPENHAUER, A., *El arte de ser feliz*, trad. Ángela Ackermann Pilári, Barcelona, Herder, 2005.

SÉNECA, L. A., *Cartas morales a Lucilio*, trad. Jaíme Bofill y Ferro, Barcelona, Planeta, 1985.

SIEBER, H., «Introducción», en M. de Cervantes, *Novelas ejemplares. Vols. I y II*, Madrid, Cátedra, 1992.

VIRGILIO, *Bucólicas. Geórgicas*, trad. B. Segura Ramos, Madrid, Alianza, 2004.

VIVAR, F., «Cuando la necesidad se impone. (Una mirada sobre Maquiavelo, Lázaro de Tormes, Montaigne y Cervantes)», *Anuario de Estudios Cervantinos*, 4, 2008, pp. 299-316.

— *Don Quijote frente a los caballeros de los tiempos modernos*, Ediciones Universidad de Salamanca, 2009.

WIND, E., *Los misterios paganos del Renacimiento*, trad. J. Fernández de Castro, Barcelona, Seix Barral, 1972.

ZIMIC, S., *El teatro de Cervantes*, Madrid, Castalia, 1992.

— *Las «Novelas ejemplares» de Cervantes*, Madrid, Siglo XXI de España, 1996.

ZUMTHOR, P., *La medida del mundo. Representación del espacio en la Edad Media*, trad. A. Martorell, Madrid, Cátedra, 1994.

ÍNDICE ONOMÁSTICO